Geneviève Blouin

HANAKEN

LA LIGNÉE DU SABRE

Illustré p

D1073401

Infographie et coloration de l'illustration de couverture
Gabrielle Leblanc

Maquette de la couverture
Gabrielle Leblanc

Éditions Trampoline

327e manuscrit reçu et 15e livre publié aux Éditions Trampoline

Catalogage avant publication de Bibliothèque et Archives nationales du Québec et Bibliothèque et Archives Canada

Blouin, Geneviève, 1982-

Hanaken, la lignée du sabre
(Aventure illustrée)

Pour les jeunes de 12 ans et plus.

ISBN 978-2-923521-20-6

I. Sybiline, 1976- . II. Titre.

PS8603.L689H36 2011   jC843'.6   C2011-940551-2
PS9603.L689H36 2011

Photo d'auteur : © Patrick Lemay, Studio Humanoid

Imprimé au Canada

Éditons Trampoline
Longueuil (Québec) Canada
www.editionstrampoline.com

Pour l'aide accordée à notre programme de publication, nous remercions le Gouvernement du Québec (Programme de crédit d'impôt pour l'édition de livres), la SODEC (Programme d'aide aux entreprises du livre et de l'édition spécialisée) et le Conseil des Arts du Canada (Subvention aux nouveaux éditeurs).

Canada Council for the Arts   Conseil des Arts du Canada   SODEC Québec   Québec Crédit d'impôt livres / Gestion SODEC

DE LA MÊME AUTEURE

NOUVELLES

« Trois coups l'annoncent », *Alibis #39* (2011) - **Prix Alibis 2011**

« Ce qui reste de l'ange », *Solaris #178* (2011)

« L'enrouleur de temps », *Brins d'éternité #27* (2010)

« Seppuku », *Alibis #35* (2010)

« Qui aura la peau de Panzer Bishop? », *Biscuit Chinois #13* (2010)

« Le Trophée », *L'Inconvénient # 39* (2009)

« Le Double », *Alibis #25* (hiver 2008)

ROMANS

Le Chasseur, Éditions Les Six Brumes, coll. Nova **(à venir en 2012)**

À Vincent qui un jour m'a fait remarquer :
« T'écris plus ? »

Ainsi qu'à Isa, l'autre Gen, Max,
papa, maman, Ju, Gaétan, Gilbert...

Personnages

La famille Hanaken

Sasori, le père, maître d'armes du fief
Ichirô, le fils aîné, 16 ans
Misaki, la fille aînée, 15 ans
Yukié, la seconde fille, 14 ans
Satô, le second fils, 14 ans
Mère
Grand-mère
La concubine de Sasori, qui est la mère de Satô
Kiku, épouse d'Ichirô

La famille du seigneur Takayama

Takayama, le seigneur
Akiko, son épouse
Yaé, mère de Takayama
Yoko, sœur de Takayama
Bei, concubine de Takayama
Shûgatsu, cousin du seigneur
Un garçon, fils de Takayama et de Dame Bei, 8 ans

Les autres

Jitotsu, ancien assistant d'Hanaken Sasori
Nanashi, fils de Jitotsu, 11 ans
Saburo, capitaine des gardes du seigneur
Yamaki, le plus jeune des gardes du seigneur
Kurotani, un ancien garde du seigneur
Matsû, un samouraï à un seul sabre

Note historique

Cette œuvre est une fiction. Les personnages et les lieux mentionnés n'ont jamais existé.

Cependant, j'ai situé mon récit dans un cadre historique défini, celui du Japon de la fin de l'époque Sengoku, c'est-à-dire le milieu du XVIe siècle. J'ai essayé de décrire et de respecter les croyances, la culture, la vie matérielle, les coutumes et les façons de penser de cette période très riche de l'histoire du Japon.

Je n'ai pas la prétention d'avoir écrit un manuel d'histoire. À certains moments, j'ai simplifié quelques explications. Il est également fort possible que des erreurs se soient glissées dans le texte à mon insu… ou pour les besoins du récit.

PROLOGUE

Le maître d'armes Hanaken Sasori sent son cœur battre trop vite dans sa poitrine. Il a le souffle court et les mains tremblantes, mais il s'efforce de ne pas le laisser paraître. L'air matinal est clair et froid. Sasori doit s'en inspirer pour rester calme et détaché. Il a une tâche à accomplir.

Son plus jeune fils, Satô, lui tend ses sabres, le long *katana*[1] et le court *wakizashi*, tandis que sa fille cadette, Yukié, prépare son cheval. Sasori sait que sa femme a remarqué sa nervosité, mais elle a la sagesse de ne pas poser de questions. Agenouillée sur la galerie de la maison, elle le regarde enfourcher sa monture.

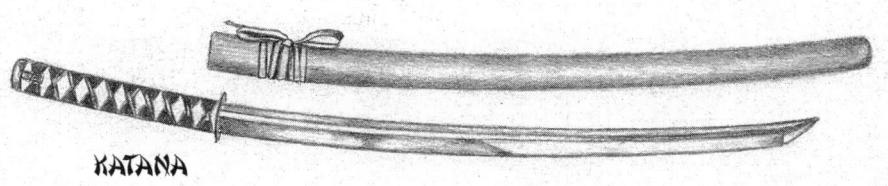

KATANA

D'habitude, une fois en selle, Sasori s'éloigne de sa demeure sans se retourner, car la tendresse et la sensiblerie ne sont pas bien vues chez les *samouraïs*. Cependant, ce matin, il jette un coup d'œil par-dessus son épaule. Il regarde sa femme et ses deux plus jeunes enfants, tous trois inclinés pour saluer son départ. Pendant un court moment, il a envie de mettre pied à terre et de ne pas

---

[1] Les mots en italique sont expliqués dans le lexique à la fin du roman.

aller chasser avec le seigneur aujourd'hui, de renoncer à son plan. Un plan qui fera courir un grand risque à sa famille et à ses amis s'il échoue.

Il se secoue, détourne la tête et reprend sa route. Il n'échouera pas. Ce soir, à son retour, il sera devenu le seigneur du *fief*.

Il traverse le village, fier d'attirer sur lui les regards des samouraïs et des paysans impressionnés par son cheval : seuls les seigneurs et les guerriers de très haut *rang* possèdent des montures. Il arrive aux portes de la demeure du seigneur Takayama. Celui-ci l'attend, déjà en selle, un faucon perché sur son poing ganté. L'homme et l'oiseau se ressemblent, ils ont tous deux des traits durs et racés. Derrière le seigneur se tient une dizaine de gardes, tous à pied. Sasori se réjouit intérieurement. Comme il l'avait prévu, le seigneur n'a pris qu'une petite escorte pour cette partie de chasse et, parmi cette escorte, il reconnaît deux de ses complices : le maigre Tarô et le jeune Jûran.

— C'est une belle journée, maître d'armes ! le salue le seigneur Takayama.

— Aussi belle que le jour où nous avons gagné la bataille contre les brigands, mon seigneur ! lui répond Sasori.

Le souvenir évoqué par Sasori amène un sourire sur les lèvres du seigneur. Ce jour-là, ils avaient en effet remporté une belle victoire contre un adversaire supérieur en nombre et élargi les limites du fief.

Sur un signe du seigneur, la petite troupe s'éloigne des habitations et se dirige vers la montagne aux flancs boisés. Les arbres de la forêt sont minces et de petite taille, mais les broussailles denses regorgent de lièvres et de faisans, proies parfaites pour le faucon. Deux gardes courent loin devant les chevaux, en éclaireurs, tandis que les huit autres les suivent. Tout en cheminant, Takayama fait admirer son rapace à son maître d'armes. Celui-ci tente de s'y intéresser, mais son esprit se concentre sur un seul détail, le plus important pour son plan : le faucon occupe la main droite de Takayama. En cas d'attaque, celui-ci ne pourra pas dégainer rapidement les épées qu'il porte à sa ceinture.

La troupe atteint une petite clairière. L'un des éclaireurs, Tarô, s'y tient. Le petit homme maigre est essoufflé, mais souriant.

— J'ai vu un faisan s'envoler il y a quelques minutes ! annonce-t-il au seigneur.

Celui-ci hoche la tête, l'air satisfait.

— Je chasserai donc ici. Sasori, déploie les hommes.

Sasori échange un regard avec Tarô. Le maigrichon cligne deux fois de l'œil droit. Le maître d'armes sait ce que cela signifie : si Tarô a le souffle court, c'est parce qu'il s'est hâté de tuer l'autre éclaireur avant l'arrivée de la troupe. Le plan est en marche.

— Vous trois, dit Sasori en désignant Tarô et deux autres hommes, rejoignez l'autre éclaireur. Vous allez protéger les alentours. Vous quatre, ordonne-t-il à d'autres gardes, allez secouer les fourrés pour faire sortir le gibier. Jûran et Saburo, vous restez avec nous.

Obéissant aux ordres du maître d'armes, les gardes vont prendre leurs postes. Saburo, un vieux guerrier aux cheveux blancs qui commande les gardes lorsque Sasori est absent, prend les rênes du cheval du seigneur. Jûran se poste quelques pas devant Saburo, la main sur la poignée de son sabre, prêt à défendre le seigneur en cas d'attaque de bandits. Sasori, quand à lui, amène son cheval flanc à flanc avec celui du seigneur.

Sasori, contrarié, remarque que Jûran a les épaules secouées de tremblements nerveux. Une telle tension peut faire commettre des erreurs et Jûran a un rôle à jouer dans la prochaine étape du plan.

Sasori ne le sait pas, mais il n'est pas le seul à avoir remarqué la fébrilité du jeune samouraï. Le vieux Saburo l'a vue aussi et il s'interroge sur sa source. Alerté, il pose une main sur la poignée de son sabre court.

Le maître d'armes tend l'oreille. Les gardes semblent s'être éloignés. Il donne un léger coup de talon à son cheval, qui se met à piétiner sur place et s'éloigne de la monture du seigneur en renâclant.

— Que se passe-t-il Sasori ? demande Takayama en tournant la tête vers lui.

— Bah, mon cheval est nerveux, dit-il. Ça lui arrive ces derniers temps… Il doit se faire vieux…

Alors que Takayama s'apprête à répondre, Jûran les interrompt, pointant le ciel.

— Regardez, seigneur, un faisan !

Le volatile apparaît à Sasori comme une aide favorable envoyée juste au bon moment par les divinités. L'attention de Takayama revient à son faucon et il ôte le capuchon de cuir qui aveuglait l'oiseau. Sasori, tout en faisant tourner son cheval pour le ramener près de celui du seigneur, porte la main à son sabre *katana* et le dégaine en silence. Le faucon décapuchonné aperçoit la proie, loin dans le ciel, et bat des ailes avec un glapissement rauque.

À cet instant, Jûran pivote brusquement et saute sur Saburo en dégainant son sabre. Sasori lève son *katana*, visant la nuque du seigneur. Il n'a qu'à la trancher pour devenir seigneur à son tour… mais Takayama tourne la tête et voit la lame levée. Au lieu de tenter de dégainer l'un de ses sabres, il tire sur la corde qui libère les pattes du faucon et frappe son cheval des deux talons.

Jûran s'empale sur le sabre de Saburo, qui a dégainé plus vite que son assaillant. Le jeune samouraï glisse au sol, déjà agonisant, tandis que le cheval du seigneur bondit brusquement en avant et bouscule le vieux Saburo. Le *katana* de Sasori frappe le faucon, qu'il tranche en deux, mais il manque le seigneur dont le cheval s'est éloigné. Les plumes et le sang du faucon jaillissent, aveuglant pendant un instant le maître d'armes. Il entend Saburo crier :

— À Takayama ! À Takayama ! Mort à Hanaken Sasori !

Si le vieil homme crie, c'est que Jûran a manqué son coup. Le plan est gravement compromis. Il ne reste donc à Sasori qu'un seul allié : Tarô.

Cinq gardes surgissent des bois et se précipitent sur Sasori. Tarô le maigrichon n'est pas avec eux. Les cinq hommes s'approchent. Sasori tente de repousser leurs sabres, qui visent ses jambes. La pointe de son *katana* ouvre la gorge d'un jeune garde qui s'était trop approché, mais le court sabre *wakizashi* d'un autre garde se fiche dans le poitrail de son cheval, qui lance une violente ruade et s'effondre sur le flanc.

Sasori tente de sauter de selle avant que sa monture touche le sol, mais il n'a pas le temps de compléter son mouvement. Le corps du cheval s'écrase sur sa jambe droite. Il sent ses os craquer. La douleur est atroce, mais moins que sa déception. Son plan a échoué. Le seigneur vit toujours.

Takayama retire son gant de fauconnier, met pied à terre et s'approche en dégainant son *katana* d'un geste posé. Il s'arrête à quelques pas de Sasori, juste assez loin pour que ce dernier ne puisse tenter de lui trancher les mollets avec le sabre qu'il tient toujours à la main.

— Jette tes armes, Sasori, et je te ramènerai au village pour que tu puisses t'y faire *seppuku*, dit la voix calme du seigneur. Essaie encore de me tuer et je te laisserai mourir ici, coincé sous ton cheval, dévoré par les renards.

Les mains de Sasori se relâchent. Sa trahison a échoué. Il doit au moins réussir sa mort. Son *katana* glisse dans l'herbe. Le vieux Saburo s'en empare, puis arrache le *wakizashi* qui était resté à sa ceinture.

— Tarô était son complice, seigneur, dit l'un des gardes qui avaient été envoyés remuer les buissons. Il a tué deux des nôtres.

— Tarô et Jûran, crache Saburo avec mépris. Et combien d'autres, hein ?

Takayama observe ses gardes survivants dégager la jambe de Sasori. Saburo a posé une excellente question. Jamais il n'aurait soupçonné que son maître d'armes attenterait à sa vie. Qui d'autre veut sa mort ? Et pourquoi ?

L E SOLEIL PRINTANIER est chaud et le sol de la clairière, encore gorgé des pluies de l'hiver, désagréablement spongieux sous les sandales de Yukié. Si elle s'exerçait avec ses frères plutôt qu'avec Misaki, sa sœur aînée, elle se serait rendue dans le pré, plus près du centre du village. Là-bas, le sol est toujours sec et il est agréable d'y marcher.

Cependant Misaki refuse d'y aller. Elle ne veut pas qu'on la voie s'exercer au combat. Elle dit que c'est inconvenant pour une fille de se donner en spectacle. D'ailleurs, elle n'accepte de s'entraîner qu'avec Yukié. Elle ne supporterait pas que des hommes la voient transpirer. Yukié trouve ses idées ridicules, mais elle se plie toujours à ses demandes. C'est son devoir de petite sœur.

De toute façon, ce n'est pas une corvée difficile. Misaki ne se bat pas très habilement. Pour la fille d'un maître d'armes, l'homme qui enseigne le combat à tous les samouraïs du clan, c'est honteux. Ce matin, elle aurait pu tenir une lance *naginata* à pointe de fer au lieu de sa lance d'entraînement en bois et elle n'aurait même pas égratigné Yukié.

NAGINATA

Avec un soupir de lassitude, Yukié, pour la quatrième fois ce matin, déjoue la vigilance de sa sœur et appuie la pointe de son sabre de bois contre sa gorge. Misaki est belle. Elle est aussi élégante, intelligente, gentille, bonne cuisinière… Bref, elle est parfaite. Aux yeux de leur mère, Yukié est une copie défectueuse de cette première fille si extraordinaire. Pour Mère, il n'est pas important que Yukié sache se battre. Heureusement, leur grand-mère Hanaken, la mère de leur père, pense autrement. Malgré son grand âge, Grand-mère garde son *naginata* dans un coin de la cuisine. Selon elle, une femme samouraï doit être prête à se défendre à tout moment.

D'une voix plaintive, Misaki interrompt l'entraînement.

— Pourquoi ne nous arrêterions-nous pas ici ? Je suis fatiguée, Yukié.

— Tu ne t'amélioreras jamais si tu ne t'entraînes pas davantage, Misaki.

L'aînée écarte la remarque d'un revers de la main.

— J'en sais assez pour mon goût.

— Mais Grand-mère…

— Oui, oui, selon Grand-mère je devrais être capable de battre tous les élèves de Père. Mais si je le faisais, à quoi serviraient-ils ? Laissons les guerriers se battre et les femmes s'occuper de leurs maisons.

Yukié grimace. Elle déteste ce genre de discours. Leur mère est née dans une famille de très haut rang et elle vient d'un autre fief, protégé par un vaste clan de samouraïs. Dans les grands clans, une femme peut se permettre de simplement veiller sur sa maison. Cependant, elles vivent ici dans un petit fief et un petit clan. Les hommes peuvent parfois avoir besoin de leurs femmes pour défendre le village. Surtout à présent, alors que le clan est au bord de la guerre.

— Ne devrais-tu pas commencer à t'entraîner au *naginata*? demande Misaki. Tu verrais comme c'est difficile.

Une remarque ridicule, qui montre bien que Misaki ne comprend rien à l'art du combat. La lance est évidemment plus facile à manier que le sabre, car son long manche permet de garder l'ennemi à distance.

— Je préfère le sabre.

Ce que Yukié ne dit pas à Misaki, c'est qu'elle trouve la lance dangereuse. Si l'adversaire déjoue le lancier et s'approche, le manche devient encombrant. C'est une bonne arme pour défendre un village, mais pas pour aller à la guerre.

— Je ne peux pas croire que Père te permet de continuer à apprendre le sabre ! se désole Misaki. Quand tu étais petite, c'était drôle, mais tu es presque une femme maintenant. C'est grotesque, non ?

— Qu'est-ce que mon âge change à tout ça ?

— Que vas-tu faire quand tu te marieras ? Amener ton sabre dans la maison de ton époux ?

Le mariage. Misaki y pense en permanence, de façon maladive. Elle rêve qu'on la mariera au seigneur

Takayama ou à un seigneur allié. Elle veut une grande maison entourée d'une palissade rouge, avec des jardins compliqués et des coffres pleins de riches kimonos. Elle les aura sans doute. Elle obtient toujours ce qu'elle veut.

— Et pourquoi pas ? dit Yukié en haussant les épaules. Je pourrais même m'entraîner avec lui tous les jours et aller à la guerre avec lui pour le défendre.

En voyant l'expression de Misaki, Yukié comprend qu'elle n'aurait pas dû parler ainsi. Le pire arrive alors : Misaki se met à rire. C'est un son cruel.

— Tu te prends pour rien de moins que Tomoé Gozen, c'est ça ?

Non, Yukié ne se prend pas pour Tomoé, qui était bien plus forte et plus belle qu'elle, toutes les légendes le disent. Il y a deux étés, le seigneur a organisé une représentation de la pièce de théâtre qui raconte son histoire. Cette femme-là a été la concubine d'un *shôgun*, l'homme le plus puissant du pays. Elle le protégeait nuit et jour, en temps de paix comme en temps de guerre. Son sabre effrayait les plus grands guerriers. Yukié espère simplement vivre une vie un peu semblable à celle de Tomoé.

Comme elle ne répond pas, Misaki continue de se moquer.

— Tomoé était une concubine, je te rappelle. Pas assez jolie ni d'assez haute naissance pour qu'on la marie. Je suis sûre qu'elle était comme toi : aussi grande qu'un garçon et toute maigre. Le *shôgun* devait dormir avec elle seulement les nuits où il avait peur d'être attaqué !

Yukié bat l'air de son sabre pour s'occuper. Aussi grande qu'un garçon et toute maigre. C'est vrai. Et douloureux à entendre. Elle mesure une bonne tête de plus que Mère ou Misaki. Et elle n'a pas leur joli visage rond. Le sien est tout en os, comme celui de Grand-mère. Son père et ses frères sont plus grands qu'elle, mais ce n'est pas le cas de tous les hommes du village. Certains élèves de Père l'appellent Yukio, comme si elle était un garçon.

Misaki a décidé que l'entraînement est définitivement terminé. Elle délie le cordon qui relevait les manches de son kimono et commence à dénouer son pantalon *hakama.*

— De toute façon, même comme concubine, quel homme voudrait d'une femme qui apporte un sabre dans sa demeure ? Les esprits de vos deux *katanas* passeraient leur temps à se battre et tout se briserait chez vous.

— Je n'ai pas de *katana,* ne peut s'empêcher de remarquer Yukié.

Un *katana* est un sabre d'acier, or elle ne possède qu'une épée d'entraînement en bois. Les armes de bois ne sont pas habitées par un *kami,* elles n'ont pas d'esprit.

— Encore heureux ! s'écrie Misaki.

Elle retire son *hakama* et, avec des gestes impatients, après avoir déplié le bas de son kimono écru, elle tente de le défroisser. Évidemment, elle n'y parvient pas vraiment. Le vêtement a souffert d'avoir été en partie replié sous sa ceinture et tire-bouchonné à l'intérieur du pantalon. Cependant, Misaki préfère un kimono froissé à un *hakama.* Comme Mère, elle estime que le pantalon devrait être réservé aux guerriers et aux servantes des temples.

— Misaki ! Yukié !

Le cri les fait se retourner. Leur grand-mère se tient sous les pommiers, à l'orée du pré. Elle a l'air grave. Son chignon blanc est un peu défait, comme si elle avait couru. C'est étrange. Grand-mère ne court jamais. En

HAKAMA

fait, d'ordinaire, elle se déplace peu, se contentant de froncer les sourcils à l'adresse des femmes de la maison afin d'obtenir ce qu'elle désire.

Elle leur fait signe d'approcher. Misaki prend le temps de plier son *hakama*, mais Yukié se précipite. Grand-mère ne viendrait pas les déranger durant leur entraînement sans une bonne raison. Une grave raison. Peut-être que le village est attaqué ou qu'il y a un incendie…

Elle arrive près de Grand-mère, essoufflée et un peu excitée. Quoiqu'il puisse se passer, ce sera plus intéressant que d'écouter Misaki déblatérer.

—Va sur la grande place, Yukié, dit la vieille femme d'une voix étranglée. Ton père va mourir.

2

SATÔ SE MET à quatre pattes dans l'herbe longue, s'emplissant le nez de son odeur piquante. Il récupère le sabre de bois qu'il a lâché pour faire croire à son frère aîné, Ichirô, qu'il avait réussi à le lui faire sauter des mains. Ce genre de fausse maladresse met toujours Ichirô de belle humeur. Il aime croire qu'il est aussi talentueux que leur père et son assistant, les deux seuls hommes qui arrivent vraiment à désarmer Satô.

Alors qu'il s'apprête à se remettre sur ses pieds, Satô lève la tête et voit le seigneur Takayama arriver à cheval sur la grande place, à une centaine de mètres du pré où il s'entraîne avec les autres samouraïs du village. Il est surpris de le voir, car il le croyait parti à la chasse avec son père et une dizaine d'autres guerriers.

Son père est là lui aussi. Il suit le seigneur Takayama, comme à son habitude, mais pas à cheval. Il se déplace à pied, comme un samouraï de rang inférieur. En boitant péniblement. Satô pousse un cri de surprise inquiète. Le petit groupe aurait-il été attaqué? Et le cheval de son père, tué? Est-ce la guerre? La blessure de Père semble grave.

Alertés par son cri, les hommes et les garçons présents dans la plaine tournent la tête vers la grande place. Ils se mettent aussitôt à murmurer entre eux. Ichirô vient aider Satô à se remettre sur ses pieds et lui donne une bourrade pour qu'il se dirige vers la grande place. Ichirô a le visage blême et les mâchoires serrées, comme lorsqu'il s'apprête à se battre avec le fils du voisin.

Tandis qu'ils s'avancent vers la grande place, d'autres cris retentissent dans le village. Les samouraïs qui s'entraînaient avec eux un instant plus tôt les dépassent en courant. La plupart brandissent leur sabre de bois de manière menaçante. Quelques-uns réclament bruyamment leur *katana*.

Satô ne comprend pas ce qui se passe. Ichirô, après l'avoir pressé à se mettre en marche, lui a saisi le bras et le force désormais à avancer lentement. Des femmes surgissent des maisons, portant les *katanas* de leur époux. Quelques-unes tiennent également leur *naginata*. Les samouraïs, hommes et femmes, commencent à se rassembler autour de Père… en pointant sur lui leurs lames d'acier!

Satô prend alors conscience de la taille réduite de l'escorte du seigneur. Normalement forte de dix samouraïs, elle ne compte plus que cinq hommes, blessés pour la plupart. L'un d'eux tient les sabres de Père à la main.

Père, désarmé! Et on le traite comme un prisonnier! Satô s'arrête tout au bord de la grande place et plante les talons dans le sol pour forcer Ichirô à s'immobiliser également. Il n'a pas envie de fouler cet espace de terre battue où les samouraïs de son village se comportent envers son père comme envers un ennemi. Il n'aurait pas dû laisser échapper son sabre. S'il n'avait pas été le premier à voir cette scène, elle ne se serait pas produite. Elle est un cauchemar devenu réalité. Elle ne peut pas être vraie.

Quelques instants plus tôt, il était à quatre pattes dans l'herbe et il cherchait son sabre. À présent, il regarde sa mère arriver sur la grande place. Les samouraïs qui encerclent les lieux s'écartent pour la laisser passer. Elle va s'agenouiller devant le cheval du seigneur et s'incline, le front dans la poussière, comme une paysanne. Satô n'entend pas ce qu'elle dit, mais il a honte.

Pourquoi Mère s'humilie-t-elle ainsi? Le seigneur n'a même pas l'air de l'écouter.

Du coin de l'œil, il voit arriver sa grand-mère, accompagnée de Misaki et de Yukié. Grand-mère les pousse vers Ichirô et lui. Misaki, pâle, marche d'un pas mal assuré. Bientôt, ils sont côte à côte tous les cinq. L'aïeule et les rejetons de la famille Hanaken.

Du haut de son cheval, le seigneur s'adresse à leur père. Celui-ci secoue la tête en réponse. Satô n'entend pas leurs paroles. Il aimerait comprendre. Qu'a fait son père pour être traité ainsi? Aurait-il insulté leur seigneur? Va-t-il être destitué? Rabaissé au rang de samouraï à pied? Au rang de samouraï à un seul sabre? Va-t-il perdre sa charge de maître d'armes? Non, ça, c'est impossible… Devant la réponse de Père, le seigneur semble insister. Père croise les bras, l'air buté. Le seigneur hausse les épaules.

Le seigneur Takayama fait signe au samouraï qui tient les sabres de Père. Celui-ci lui lance son sabre court, son *wakizashi*. Père l'attrape d'un geste adroit. Satô soupire. Son père a récupéré une de ses armes. Tout va rentrer dans l'ordre à présent.

Le seigneur se redresse dans ses étriers.

— Vous avez attenté à ma vie, Hanaken Sasori, annonce-t-il d'une voix forte. Vous avez voulu me trahir. Vous devriez mourir comme un chien, mais je me souviens que vous avez été un bon maître d'armes pour notre clan. Je vous ordonne donc de vous faire *seppuku* sur-le-champ.

Quoi ? Satô regarde autour de lui. Non, personne ne porte de masque ou de maquillage de théâtre, le seigneur et son père ne sont pas en train de jouer une comédie improvisée. Cependant… un traître ? Père serait un traître ? Et *seppuku*… le seigneur ne veut quand même pas dire…

— Je vous remercie, seigneur Takayama ! répond Père. Jitotsu, viens me servir de second.

Satô a l'impression de regarder des nuages courir dans le ciel : les formes semblent bouger lentement, mais pourtant le temps file tandis qu'il les observe. Le spectacle qui se déroule sous ses yeux n'a pas plus de sens que la course des nuages. Son père s'agenouille avec peine dans la poussière de la grande place. Jitotsu, l'homme qui a toujours été son assistant et son compagnon d'entraînement, vient se placer dans son dos, *katana* à la main. Père dégaine son sabre court et ouvre le haut de son kimono. Mère vient s'agenouiller à quelques pas devant lui. Elle s'incline vers lui. Il s'incline vers elle. Ils sont beaux tous les deux, ses parents adorés. Sa mère, délicate comme une fleur de pommier. Son père, solide et lisse comme un galet de rivière.

Son père enroule la ceinture de son *hakama* autour

de la lame de son *wakizashi*. Sa mère défait le cordon qui relevait les manches de son kimono et le noue autour de ses cuisses. Pendant un instant, ils regardent tous deux fixement devant eux. Ils n'ont pas un regard pour leurs enfants.

Et soudain, Mère sort un poignard de sa manche et le dirige vers sa gorge. Au même instant, Père plonge la pointe de son *wakizashi* dans son ventre. Jitotsu, au lieu d'empêcher son vieil ami de se blesser, soulève haut son sabre et l'abat sur la nuque de Père, lui tranchant la tête d'un seul coup. Mère s'effondre, la gorge ouverte. Le sol de la place se couvre de sang.

Satô tombe à genoux. À côté de lui, Misaki pleure à grand bruit, une main pressée contre sa bouche pour tenter d'étouffer ses sanglots. Il a les joues mouillées lui aussi. Il sait qu'il ne devrait pas pleurer, pourtant. Ses parents viennent de se faire *seppuku*. Ils ne sont pas morts sans raison, comme s'ils avaient été malades. Ils viennent de se suicider selon les coutumes, pour laver l'honneur de leur nom. Il est noble de mourir par *seppuku*. On le lui a répété sans cesse. Il a toujours eu du mal à le croire. Comment choisir de mourir pourrait-il être une bonne idée?

C'est une très mauvaise idée, il en est persuadé maintenant. Le sang de ses parents coule sur la place. Son père ne rira plus jamais de sa maladresse. Sa mère ne retiendra plus son sourire en le voyant faire des grimaces. Ses parents ne veilleront plus sur lui lorsqu'il est malade, ne le gronderont plus pour qu'il se tienne bien à table... ne seront plus jamais fiers de lui. La grande place du village boit lentement leur sang.

3

LA NUIT EST HUMIDE et s'insinue dans la maison, car on en a ouvert toutes les portes afin de pouvoir discuter sans que quelqu'un puisse se cacher derrière une cloison pour écouter. Seule la porte menant à la chambre de Grand-mère est fermée. Grand-mère s'y repose. Elle n'a rien dit de la soirée, mais depuis qu'elle a vu Père mourir, son visage est devenu gris.

Misaki a renvoyé la servante chez elle et a demandé à la femme qui a donné la vie à Satô de veiller Grand-mère. Dans la pièce principale, il n'y a qu'eux quatre, les enfants, orphelins, livrés à eux-mêmes. Grand-mère n'est pas en état de les aider et la femme qui a enfanté Satô ne le peut pas. Ce n'est qu'une concubine, une jolie paysanne qui a attiré l'œil de Père et lui a donné un fils. Elle n'a pas l'autorité d'une épouse. De toute façon, même si Mère vivait, elle ne serait pas très utile à présent. Une famille a besoin d'un homme pour survivre.

Yukié contemple pensivement les sabres de leur père, posés sur leur support de bois laqué, au centre de la pièce centrale de la demeure. Jitotsu les a donnés à Ichirô après que Père se soit ouvert le ventre avec le *wakizashi*. Ces sabres ont été forgés pour le grand-père de la famille lorsqu'il est devenu maître d'armes et a pris le nom de Hanaken. Ce nom signifie «fleur de sabre», car Grand-père disait que sa famille était une plante qui avait poussé le long de la lame d'un *katana*.

Aujourd'hui, à cause d'un ordre donné par le seigneur Takayama, la plante est en danger de mort. Il n'y a plus qu'eux pour assurer l'avenir de la famille… et ils ne sont encore que des enfants! Ichirô se donne souvent des airs d'adulte, mais il n'a que seize ans et Misaki, malgré une année de moins, est assurément plus sage que lui. Yukié soupire : avec leurs quatorze ans, Satô et elle seront plus que jamais soumis à l'autorité de leurs aînés.

Ichirô regarde le *katana* de Père comme s'il s'agissait d'un animal dangereux.

— Pourquoi ne le prends-tu pas? lui demande Misaki. N'est-il pas à toi à présent?

Ichirô secoue la tête.

— Non. Il est trop beau. C'est un sabre de maître d'armes.

— Tu es le maître d'armes maintenant, Ichirô, réplique Misaki.

Misaki raconte n'importe quoi! Le seigneur a été clair, tout à l'heure, sur la place. Les enfants Hanaken ont été épargnés, certes, même s'ils sont les descendants d'un traître, et ils peuvent garder leur nom de famille, puisque leurs parents l'ont nettoyé avec le sang de leur suicide. Cependant, leur rang a été diminué. Le dernier cheval de Père, celui qu'il n'utilisait que pour les batailles, a été offert à Shûgatsu, le cousin du seigneur. Et la charge de maître d'armes du clan n'appartient plus à la famille Hanaken, mais bien à Shûgatsu. Peut-être qu'ils la récupéreront un jour. D'ici là, ils sont redevenus des samouraïs à pied. Rabaissés. Humiliés.

— Ne parle pas pour ne rien dire, Misaki! la rabroue Ichirô.

— C'est l'arme du chef de notre famille, et le chef de notre famille est un maître d'armes, lui répond-elle. Il peut être un maître d'armes sans emploi, mais il ne peut pas être un chef de famille sans sabre.

Yukié voit qu'Ichirô hésite. Elle le comprend. Ils ont toujours vu ce sabre à la ceinture de leur père. Se l'approprier, c'est accepter la mort de leurs parents. Cependant, ils sont des samouraïs. On leur a appris que la mort, pour eux, était une chose normale. Qu'il ne fallait pas la craindre.

— Es-tu un lâche, Ichirô? s'écrie Misaki.

L'insulte suprême. Un membre de la classe samouraï, leur a-t-on toujours dit, n'a peur de rien. Ce n'est jamais un lâche. Yukié se dit qu'elle doit être une très mauvaise samouraï.

Ichirô est moins peureux qu'elle, car il tend la main, prend le *wakizashi* de Père, le sabre avec lequel il s'est tué, et le passe dans sa ceinture. Il ne peut pas prendre le *katana* pour l'instant. Seuls les samouraïs adultes portent les deux sabres à la fois. De toute façon, on ne porte pas de *katana* dans une maison. Ichirô empoigne ensuite son propre *wakizashi*, une épée de moins bonne qualité, au tranchant un peu usé, et le remet à Satô.

— Tiens, si je suis le chef des Hanaken, tu es à présent mon héritier, dit-il à son cadet.

Satô incline la tête, l'air grave. Misaki semble satisfaite. Yukié brûle de jalousie. Elle aurait voulu recevoir l'épée de l'héritier. Elle a le même âge que Satô et elle est aussi habile que lui au sabre !

— Prendre le sabre de Père n'est qu'un début, Ichirô, dit Misaki. Si tu veux être considéré comme un adulte, tu vas devoir te marier.

Ichirô semble surpris pendant un instant, mais cela lui passe vite. Depuis le temps qu'il reluque les jeunes filles du village, avoir une femme à lui n'est probablement pas une pensée trop désagréable. Il hoche la tête. Misaki et lui échangent un long regard complice.

— Je vais me marier aussi, continue Misaki. Shûgatsu voulait m'épouser du vivant de Père. Peut-être n'a-t-il pas changé d'idée.

— Tu ne vas quand même pas épouser l'homme qui a pris à Père son cheval et son rôle de maître d'armes ? s'exclame Yukié.

La question lui a échappé. Misaki la regarde avec ce sourire supérieur qu'elle déteste.

— Évidemment que je vais l'épouser. Comme ça, si Shûgatsu meurt, son cheval me reviendra. Je pourrai donc le redonner à Ichirô et rebâtir ainsi notre famille. De plus, en tant que femme de Shûgatsu, je serai proche du seigneur. Je pourrai donc continuer à assurer l'œuvre de Père.

— L'œuvre de Père ?

Yukié ne comprend pas. Satô la regarde en haussant les sourcils. Lui non plus ne sait pas ce que Misaki veut dire.

— Le seigneur a accusé Père de l'avoir trahi. Notre père n'aurait pas agi en vain. S'il a trahi, c'est que le seigneur l'avait mérité. Il est de notre devoir de continuer ce que Père avait commencé.

— Tu as raison, Misaki, approuve Ichirô. Nous devons être comme la flèche qui atteint parfois sa cible même après la mort de l'archer. Nous sommes les dernières flèches lancées par Père.

Yukié se sent étourdie. Père est mort parce qu'il a tenté de trahir le seigneur... et maintenant Misaki veut que ce qui reste de la famille tente de faire comme lui ? Pourquoi pense-t-elle que Père avait raison ? Sait-elle quelque chose que Yukié ignore ? Ou voue-t-elle simplement une confiance aveugle à leur père ? La confiance que Yukié devrait éprouver elle aussi, si elle était une fille digne de ce nom...

— Si Père a préparé une trahison, il devait avoir des complices, poursuit Misaki. Comme il n'y a pas eu d'autres exécutions, ils n'ont pas été découverts. Nous devons les trouver et leur dire que nous sommes prêts à continuer ce que Père a commencé. Ce n'est qu'en accomplissant son œuvre que nous rachèterons véritablement l'honneur de notre famille.

Misaki a dû réfléchir à tout cela dans les heures qui ont suivi le *seppuku*. Peut-être a-t-elle discuté avec Ichirô. Ils semblent s'entendre comme jamais, ces deux-là...

— Satô, lance Misaki à leur jeune frère, tu vas aller habiter chez Jitotsu. C'était l'assistant et le meilleur ami de Père. Il pourra t'aider à parfaire ton maniement du sabre et, si tu observes bien et que tu poses les bonnes questions, tu apprendras sans doute quel était le plan de Père et qui étaient ses alliés. Tu pourras ensuite nous aider à entrer en contact avec les autres conspirateurs. Ton rôle sera précieux, car Ichirô et moi, une fois mariés, nous serons considérés comme des adultes et nous ne pourrons pas nous promener aussi librement que toi qui es un enfant.

Satô sourit en acceptant le rôle que lui confie Misaki. Il a l'air surpris de la tournure des événements, mais l'idée de jouer à l'espion lui plaît. Il a toujours aimé écouter aux portes. Parce qu'il n'est pas très distingué, disait Mère, en ajoutant que ce n'était pas surprenant puisqu'il était né d'une paysanne.

Misaki se tourne finalement vers Yukié.

— Je t'ai gardé le rôle le plus précieux, lui dit-elle en souriant.

Elle semble si heureuse que Yukié se sent aussitôt menacée.

— Que puis-je faire pour aider ma famille, Sœur Aînée ?

Elle essaie d'amadouer Misaki. Celle-ci aime entendre Yukié lui parler avec déférence.

— Nous allons t'offrir au seigneur comme otage pour prouver la loyauté de notre famille, annonce-t-elle.

Otage ? La perspective n'est pas réjouissante. Cela signifie que Yukié habitera dans la maison du seigneur et qu'elle devra traiter sa famille comme la sienne. Elle n'a aucune envie d'être aussi proche de l'homme qui a ordonné à son père de s'ouvrir le ventre. De plus, si les plans de Misaki viennent à être connus et que le seigneur apprend que les enfants Hanaken cherchent à le trahir à leur tour, il ordonnera à Yukié de se trancher la gorge… ou pire, il le fera à sa place.

— Sœur Aînée, je ne comprends pas pourquoi tu veux m'offrir en otage au seigneur. Il ne nous a pourtant pas demandé de lui fournir un otage.

— Réfléchis, Yukié. Ichirô va avoir besoin de la maison pour accueillir sa nouvelle épouse et concevoir un héritier pour la famille. Il est déjà encombré par Grand-mère et la femme qui a donné la vie à Satô. Tu ne

vas quand même pas t'ajouter à son fardeau, non ?

Misaki a une merveilleuse façon de donner à Yukié l'impression d'être encombrante.

— J'aimerais mieux te marier à un samouraï que te donner au seigneur comme otage, continue-t-elle, mais aucun homme ne voudra de toi comme épouse. Tu n'es pas belle et tu n'as pas le prestige d'une fille aînée.

La sœur de Yukié l'étudie en penchant la tête et en fronçant les sourcils, comme si elle examinait une tache sur un kimono.

— Par contre, tu es jeune et énergique. Cela plaît à certains hommes. Un samouraï pourrait vouloir de toi comme concubine, en espérant que tu lui donnes des fils vigoureux.

Yukié a un haut-le-cœur en l'entendant. Les hommes qui prennent des concubines sont souvent vieux. La mère de Satô avait vingt ans de moins que Père. Elle ne veut pas qu'un vieil homme la touche ! De plus, les concubines deviennent toujours les servantes de l'épouse. Ce n'est pas un rôle qui lui irait très bien !

Misaki rit, car le dégoût de Yukié se lit sur son visage.

— C'est bien ce que je pensais. Tu seras donc otage du seigneur.

Ichirô ouvre la bouche, peut-être pour protester. Misaki le coupe d'un geste.

— Ne t'inquiète pas, Frère Aîné. Si notre petite sœur arrive à se comporter en vraie dame, peut-être attirera-t-elle l'attention de notre seigneur. Assez, du moins, pour endormir sa méfiance, s'approcher de lui… et lui trancher la gorge, le moment venu.

Yukié reste bouche bée. Misaki ne se moquait pas d'elle lorsqu'elle a dit qu'elle lui réservait le rôle le plus précieux. Ni lorsqu'elle parlait de poursuivre l'œuvre de Père. Une femme vengeresse et sanguinaire se cachait donc sous le masque de perfection de sa grande sœur ? Yukié ne l'aurait jamais cru ! Si elle parvient à faire ce que Misaki a prévu, elle aura l'honneur de venger leurs parents de ses propres mains. Elle n'a pas de sabre d'acier à la ceinture, mais elle a tout de même la chance d'agir en vraie samouraï et de restaurer l'honneur de son nom.

Elle ne peut refuser cette chance.

AVANT LA MORT de ses parents, Satô avait toujours pensé que Misaki n'était pas digne de porter le nom Hanaken. Alors qu'Ichirô, Yukié et lui sont, comme leur père et leur grand-père, d'excellents combattants, Misaki ne semble jamais comprendre par quel bout elle doit saisir sa lance ou son arc.

Cependant, leur père a toujours répété que le combat n'est pas seulement une affaire de coups bien placés et de flèches qui atteignent leur but. Il ne faut pas, a-t-il toujours dit, oublier l'importance de la stratégie, car c'est la stratégie qui nous permet de décider quels coups utiliser et à quel moment attaquer.

Misaki ne sait peut-être pas se battre, mais Satô doit admettre qu'elle sait faire preuve de stratégie. Grâce à elle, dix jours à peine ont passé et voilà leur famille bien établie à nouveau, prête à travailler en secret à sa vengeance. Yukié est installée dans la maison du seigneur.

Officiellement, elle est une otage, mais elle mange tout de même à la table de la famille Takayama, elle dort dans la seule maison fortifiée du village et elle passe ses journées avec des personnes de haut rang. Ichirô se mariera à la prochaine lune et Misaki vit depuis trois jours avec son époux.

Quant à Satô, ses bagages sont presque faits. Il emporte son sabre de bois et son *wakizashi* d'acier, son arc, sa flûte, ses vêtements, son matelas, ses couvertures... Il hésite en voyant ses soldats de bois. Il ne joue plus avec eux depuis des années, mais il est habitué à les avoir près de lui, au fond du coffre où il range ses affaires. Il a envie, l'espace d'un instant, de les prendre avec lui. Pour se résoudre à les laisser, il n'a qu'à penser au sermon que lui infligerait Misaki si elle apprenait qu'il les a gardés. Ils reviendront aux futurs enfants d'Ichirô. Satô espère seulement qu'ils ne les casseront pas.

Il glisse son *wakizashi* et son long sabre de bois dans sa ceinture, roule le reste de ses affaires entre son matelas et ses couvertures, puis balance le tout sur son épaule. De sa main libre il transporte son arc, qui est presque aussi grand que lui. Le voilà fort encombré. Heureusement, Jitotsu n'habite pas trop loin.

Personne n'est là pour le voir quitter la maison. Ses sœurs sont parties, sa grand-mère est toujours alitée et Ichirô est à l'entraînement. La femme qui l'a enfanté est probablement quelque part aux alentours, occupée à une quelconque tâche ménagère. Elle ne viendra pas lui dire au revoir. Ce ne serait pas approprié. De toute façon, il ne la connaît presque pas. Elle l'a porté dans son ventre, il le sait, mais c'est l'épouse de Père qui l'a élevé. C'est cette épouse qu'il appelait sa mère. Il en est toujours ainsi : les enfants des concubines sont la propriété de la famille, pas de la femme qui les porte. Satô en est heureux. Il est fier d'être un Hanaken.

Il est tellement chargé qu'il a du mal à faire coulisser la porte de la maison. Enfin le voilà dehors, sur la galerie surplombant le jardin. Il dépose ses affaires et s'assoit. Ses sandales de paille sont juste en bas de la galerie, sur les pierres du sentier qui relie la maison à la route. Il n'est pas très long, ce sentier. Une dizaine de pas à peine. Au bout, c'est la petite route de terre battue. Une route que Satô a empruntée souvent. Lorsqu'on la suit vers la droite, elle mène au centre du village. Vers la gauche, elle longe d'autres maisons de samouraï avant de serpenter entre les champs cultivés. Jitotsu habite la troisième maison sur la gauche. Satô y est allé souvent avec son père.

Sauf que, d'habitude, il quittait sa demeure en sachant qu'il allait y revenir. Aujourd'hui, il doit s'en éloigner pour de bon. Enfin, elle sera toujours là, mais ce ne sera plus pareil. À partir de ce soir, la maison ne sera plus celle de son père, elle deviendra celle d'Ichirô. Les prêtres vont la purifier en y allumant des bâtonnets d'encens, puis les noms de leurs parents seront écrits sur des tablettes de bois et déposés sur l'autel familial, à l'entrée de la demeure. Ainsi, leurs esprits pourront veiller sur la maison, en compagnie des esprits de tous leurs ancêtres, dont les noms sont également inscrits sur des petites tablettes. Certaines sont si anciennes qu'on n'arrive même plus à les lire. C'est désormais Ichirô qui va être chargé d'offrir à tous ces esprits du riz et de l'eau. Satô espère qu'Ichirô n'oubliera pas. Sinon, il va se retrouver avec des esprits fâchés plein la maison !

Il ne sert à rien de traîner. Il doit partir. Jitotsu l'attend sans doute, prévenu de son arrivée par Ichirô. Il lace ses sandales et, après avoir ramassé son baluchon et son arc, il s'avance sur les pierres du sentier. Celui-ci est si court que voilà déjà la route. Satô fait quelques pas en direction de la maison de Jitotsu…

C'est plus fort que lui : il s'arrête et se retourne pour jeter un dernier coup d'œil à la maison. Certes, elle n'est pas très belle, avec son toit recouvert de paille de riz. Elle n'a qu'un seul étage, avec une grande galerie bordée par les piliers qui soutiennent le toit. Comme toutes les maisons du village, ce n'est qu'un plancher sur pilotis surplombé d'un toit avec, en guise de murs, de simples panneaux de bois mince et de papier qui coulissent dans des rainures. Ils suffisent à protéger du vent et de la pluie. Il fait rarement froid dans la région.

Elle a toujours été trop petite, cette maison. Père s'en plaignait souvent. Grand-mère et Mère y occupaient les deux seules chambres. Quand la nuit tombait, Satô et les autres enfants déroulaient leurs matelas et leurs couvertures sur les *tatamis* de la pièce principale. La femme qui a donné la vie à Satô dormait dans la cuisine. Il y avait si peu de place dans les placards, déjà encombrés par les vêtements, que les enfants devaient ranger leurs matelas sur les poutres du plafond pendant la journée. Et quand Satô roulait mal le sien, Grand-mère finissait par le recevoir sur la tête, parce qu'elle s'assoyait toujours dessous… Parfois, il faisait même un peu exprès. Ça l'embêtait de devoir rouler son matelas chaque matin…

Ah non, il ne va pas encore se mettre à pleurer ! Il va finir par faire rire de lui. Tout le monde comprend qu'il puisse pleurer la mort de ses parents, même si on lui a dit qu'ils ont eu une belle mort. Mais un samouraï ne devrait pas pleurer parce qu'il change de maison. La vie est trop courte, répétait Père, pour qu'on s'attache

à des objets qui peuvent être détruits par le feu ou par l'orage. Bon, allez, s'il renifle un bon coup... Voilà. Il a les yeux un peu mouillés, mais au moins les larmes ne coulent plus.

Il se remet en marche vers la demeure de Jitotsu, en regardant ses pieds. Ça lui évite de penser à l'endroit qu'il quitte ou de se demander si Yukié s'ennuie de lui. Elle ne vient plus s'entraîner avec les samouraïs du village à présent. Il faut dire que les gardes personnels du seigneur, des samouraïs qui ne possèdent ni terre ni maison, s'exercent entre eux, à l'intérieur des murs de sa demeure. Père allait superviser leur entraînement chaque matin. Il disait que c'étaient les meilleurs combattants du clan. Peut-être que Yukié a la chance de pouvoir pratiquer avec eux.

— Satô !

L'appel de son nom lui fait lever la tête. Jitotsu est là, un peu plus loin sur la route. Son fils de onze ans, Nanashi, l'accompagne.

— On se demandait si ta famille avait changé d'idée ! s'exclame Jitotsu en riant.

— Ils n'ont pas changé d'idée, n'est-ce pas ? demande Nanashi. Je t'ai fait une place dans ma chambre. Tu peux dire à Hanaken Ichirô que tu vas être bien chez nous.

L'inquiétude de Nanashi est comique à voir. Comme toujours lorsqu'il est nerveux, il a profondément enfoncé sa main droite dans sa manche de kimono et il sautille un peu sur place.

— Seulement une partie de ta chambre, Nanashi ? dit Satô. Bah, alors je vais retourner chez moi. Là-bas, au moins, j'ai toute la place qu'il me faut...

Le garçon ouvre de grands yeux désespérés, tandis

que Jitotsu adresse un clin d'œil à Satô dont il a compris la plaisanterie.

— Vraiment, je ne manque pas de place pour dormir dans la salle principale! Même avec tous les autres autour…

Nanashi est éberlué.

— Quoi? Tu dormais dans la salle principale?

Il attrape la manche de Satô d'une main autoritaire. Sa main gauche. La droite est déformée, paraît-il. C'est difficile à confirmer : il la cache presque toujours.

— Viens à la maison avec nous alors, Satô. Tu vas voir, ma chambre est grande. Et puis ma mère nous a cuisiné du riz rouge.

Du riz rouge. Un plat de jour de fête. Jitotsu s'empare du ballot de couvertures et de vêtements.

— Je suis enchanté d'accueillir le fils de mon défunt ami dans ma demeure, dit-il. Je vais t'aider à devenir un combattant digne de ton père, Satô. Tu verras.

5

— Ne venez-vous donc pas avec nous, Demoiselle Hanaken? demande pour la seconde fois Dame Takayama Akiko, l'épouse du seigneur.

— Non, je vais aller m'exercer, Dame Takayama, dit Yukié.

— Ah là là! Ne trouvez-vous pas que vous parlez un peu trop affirmativement pour une demoiselle, Hanaken Yukié? les interrompt la vieille Dame Yaé.

Yukié a envie de lui répondre qu'elle trouve au contraire sa gymnastique grammaticale complètement ridicule. Pour ne jamais avoir l'air d'affirmer quelque chose, et donc de s'imposer, toutes les femmes de la maison du seigneur s'expriment en posant des questions... Des questions soigneusement formulées pour qu'on en comprenne le message. Elle se mord cependant les joues. Mère et Misaki aussi ont essayé de lui inculquer ce parler précieux et poli. Il paraît que les hommes le trouvent reposant et flatteur.

— Ne pouvez-vous pardonner à une jeune fille sa hardiesse ? dit-elle à la mère du seigneur.

Cette réponse-là, elle l'a vite apprise. Cependant, il lui semble qu'elle est déjà usée. La vieille Yaé n'est d'ailleurs pas dupe. Elle soupire légèrement.

— Bien, bien, allez donc épuiser cette hardiesse enfantine au lieu de venir admirer les jardins avec les adultes.

Dame Akiko s'apprête à protester, mais sa belle-mère l'entraîne à sa suite. L'épouse du seigneur aime tout mener à la baguette et elle semble avoir décidé qu'elle ferait de Yukié une demoiselle exemplaire. Aujourd'hui, elle projetait de lui enseigner l'art de dessiner un jardin zen. Pauvre Akiko. Si elle savait que Yukié ne rêve que de trancher la gorge de son époux !

Dame Akiko et Dame Yaé s'éloignent en marchant à petits pas. De dos, dans leurs kimonos de soie colorée aux larges manches, elles ont l'allure de papillons. Petites, jolies, frêles… et inutiles. Yukié les observe. Elles tiennent le bas de leur kimono dans leur main droite pour ne pas marcher dessus. Elle trouve ce geste extrêmement délicat et élégant. Une fois qu'elles sont hors de vue, elle essaie de les imiter. C'est facile. Beaucoup plus facile que d'apprendre une nouvelle technique au sabre. Tant mieux. Elle doit apprendre à se comporter en grande dame si elle veut attirer le regard du seigneur.

Après bien des petits pas, elle arrive finalement dans sa chambrette où elle retire avec bonheur le kimono de soie dont Dame Akiko lui a fait cadeau le jour de son arrivée, en insistant pour qu'elle le porte le plus souvent possible. Il est superbe, vert clair brodé de fleurs de cerisier roses, mais Yukié n'arrive pas à comprendre comment on peut vouloir porter de la soie en dehors des

KIMONO

banquets et des jours de fête. C'est un tissu si fragile ! Il suffit de transpirer dedans pour le tacher.

Elle plie soigneusement le précieux vêtement et le range dans son coffre. Ensuite, elle enfile un court kimono de coton et un solide *hakama* d'entraînement. Sabre de bois à la main, elle traverse la maison pour se rendre dans la cour qui sert de salle d'armes. Le sol y est en terre battue, dur et compact comme du bois. La cour est déserte à cette heure. Les gardes du seigneur s'entraînent le matin, car l'après-midi ils accompagnent Takayama dans ses diverses activités : chasse, inspection des champs, surveillance des frontières…

Elle savoure sa solitude. Ce n'est que la deuxième fois qu'elle a du temps libre depuis son arrivée dans cette maison. À l'extérieur de la cour d'entraînement, il y a toujours une dame ou une autre qui papillonne autour d'elle et qui essaie de l'intéresser à une activité délicate et ennuyeuse. L'art de composer des bouquets de fleurs passionne-t-il vraiment qui que ce soit ?

Après s'être agenouillée au centre de la cour, son sabre passé à la ceinture, elle pose ses mains sur ses cuisses, puis inspire et expire lentement. Elle imagine sa sœur Misaki, agenouillée devant elle, comme pour prendre le thé. Et tchac ! D'un seul mouvement, elle saisit la poignée de son sabre et le glisse hors de sa ceinture tout en se redressant sur un genou. En l'espace d'un battement de cils, elle vient de trancher la tête si parfaite de sa sœur imaginaire. Elle aime imaginer qu'elle attaque Misaki lorsqu'elle pratique ses techniques pour dégainer agressivement. Sa véritable sœur est si lente ! Elle ne peut pas manquer son coup ! Cela dit, elle devrait sans doute se mettre à imaginer le seigneur Takayama…

— Demoiselle Hanaken ! Vous n'êtes quand même pas assise dans la poussière, non ?

Elle sursaute. Dame Yoko, la sœur aînée du seigneur, vient de surgir sur la galerie où le maître d'armes se tient d'ordinaire afin d'observer ses élèves. C'est une grosse femme toute blanche qui ressemble à un gâteau de riz gélatineux et qui n'a jamais rien soulevé de plus lourd qu'un éventail.

— Il serait plus sage de venir avec moi aux bains, vous ne pensez pas ? Sinon, ne risqueriez-vous pas d'être sale au moment du souper ?

Les questions de Yoko claquent comme des ordres. Yukié essaie de discuter, mais elle sait déjà que c'est peine perdue.

— Je comptais y aller plus tard, Dame Yoko...

— Mais l'eau est chaude maintenant, n'est-ce pas ? Vous ne voudriez pas que le seigneur pense que les Hanaken sont vulgaires et sales, n'est-ce pas ?

Elle soupire. Elle ne s'en tirera pas. Elle saute sur ses pieds et glisse son sabre dans sa ceinture. Dame Yoko la regarde faire avec une moue de dégoût, puis elle l'entraîne vers le pavillon des bains, en passant par le réseau de galeries couvertes qui relie les différents pavillons de la maison du seigneur. Jamais Dame Yoko ne fait mine de traverser une cour intérieure ou un jardin, même si cela serait plus rapide. Lorsque Yukié lui en demande la raison, Dame Yoko ne fait que pointer la terre qui s'est accrochée à ses pieds et à son *hakama* en grimaçant à nouveau.

Yukié est perplexe. Franchement ! Un peu de saleté n'a jamais tué personne.

6

C'EST LA DEUXIÈME FOIS que Jitotsu répète
sa question et Satô ne la comprend toujours pas.
Il a beau la retourner dans tous les sens…

— Je croyais que c'était vous qui deviez m'enseigner, finit-il par dire.

— Oui, bien sûr, répond Jitotsu, je vais t'enseigner
les techniques ordinaires, corriger tes erreurs de déplacement, d'attaque, de défense… mais en échange, tu
dois m'expliquer les techniques Hanaken.

— Les techniques Hanaken?

Décidément, Jitotsu semble parler chinois. Plus
Satô le questionne, plus il s'impatiente.

— Allons, Satô, cesse de jouer à l'idiot. Chaque
maître d'armes a des techniques secrètes qu'il n'enseigne qu'à ses enfants. Ce sont elles qui font la force de

son école. Je veux connaître celles des Hanaken !

Après cette tirade, il se radoucit un peu.

— Si tu ne me les montres pas, je ne pourrai pas t'aider à les pratiquer. Et une technique qu'on ne pratique pas, c'est comme une épée qu'on laisse rouiller.

Maintenant que Satô y réfléchit, il doit admettre qu'il arrivait effectivement à leur père de les réunir, Ichirô, Yukié et lui pour des leçons de sabre. Cependant, il ne leur a jamais dit qu'il leur confiait un quelconque secret...

— Comment je peux savoir, moi, quelles sont les techniques qu'il n'enseignait pas aux autres ? Vous avez été son élève et son assistant pendant si longtemps, Jitotsu, qu'il doit vous avoir tout montré.

Jitotsu secoue vigoureusement la tête.

— Non. Je sais qu'il ne m'a pas montré les techniques secrètes, car il ne m'a jamais enseigné à utiliser l'énergie de la terre. Les techniques magiques, il les a gardées pour ses fils.

Satô se retient pour ne pas éclater de rire. L'énergie de la terre ? Des techniques magiques ? Jitotsu doit être tombé sur la tête. Ou alors il a trop écouté les racontars des paysans. Père l'avait déjà dit : certains d'entre eux croient que les samouraïs commandent aux esprits du vent et de la terre. Ils ne comprennent pas que c'est l'entraînement quotidien qui les rend rapides et forts.

— Père n'a jamais cru aux histoires de magie, Jitotsu, dit Satô.

Cette fois, Jitotsu s'assombrit visiblement. Il serre les mâchoires, ferme les poings. Satô a l'impression qu'il lui en veut.

— Si vous le dites, Hanaken Satô, ce doit être vrai.

Satô déteste quand les vieux disent une chose, mais

en pensent une autre. Jitotsu est fâché contre lui à présent… Ah là là! Il ne faut pas que Jitotsu lui en veuille : il doit vivre sous son toit. De plus, si Jitotsu n'a pas confiance en lui, il ne pourra pas remplir sa mission et découvrir qui étaient les alliés de Père.

Que faire? Hum… Il pourrait sans doute persuader Jitotsu que Père lui a enseigné une technique magique… mais que peut-il inventer? Il se creuse la tête et un souvenir finit par lui revenir. Une troupe de théâtre est passée par leur village il y a deux ans. Le seigneur leur avait demandé de jouer quelques pièces sérieuses, mais les comédiens s'étaient également amusés à monter de courtes comédies. Dans l'un de ces spectacles, un médecin chinois tentait de se faire passer pour un samouraï.

— Eh bien, Jitotsu, je crois que je viens de comprendre de quelle technique vous voulez parler.

Aussitôt prononcés, ces mots font briller les yeux de Jitotsu. Il ne reste qu'à lui raconter la suite sans pouffer de rire…

— C'est effectivement une technique secrète qui fait appel aux énergies de la terre. Cependant, ce n'est pas vraiment une technique de combat. C'est un exercice destiné à augmenter la force des coups et à chasser la fatigue ou la douleur.

Jitotsu hoche la tête et boit ses paroles. Il le croit. Excellent.

— Alors, vous devez écarter les jambes comme ça… Un peu plus large encore. Oui, plus large que les épaules. Pliez les genoux…

Satô s'exécute à mesure qu'il explique, adoptant une position qui ressemble à celle qu'il prenait lorsque son père le promenait sur son grand cheval de guerre. Le cheval qui appartient à Shûgatsu désormais.

Ils le récupéreront!

Jitotsu l'imite docilement.

— À présent, vous crispez les orteils, comme pour les enfoncer dans la terre. Ouvrez grand la bouche. Baissez les mains vers le sol. Maintenant, inspirez et ramenez les mains vers votre visage, comme si vous aviez ramassé de l'eau et que vous alliez vous la lancer au visage. C'est ça! C'est l'énergie de la terre que vous ramenez à vous. Inspirez pour l'avaler.

L'homme qui a été l'assistant de Père se livre à l'exercice sans discuter. Il a l'air complètement fou. On dirait qu'il essaie de ramasser de l'air. Comment peut-il croire ce que Satô raconte? Est-il complètement stupide? Satô ne peut s'empêcher d'en rajouter.

— Voilà, excellent. Imaginez que vous êtes une plante. Raclez-vous la gorge en expirant, pour être sûr de bien rejeter toute l'énergie usée que vous portez en vous.

Des raclements de gorge énergiques se font entendre. Les deux samouraïs s'exercent derrière la maison de Jitotsu, mais le bruit doit parvenir jusqu'à la grande place du village. Il faut que Satô abrège cette histoire, sinon des gens vont finir par arriver et par poser des questions!

— À chaque inspiration, vous tirez votre énergie de la terre. Elle chasse la douleur et la fatigue. Grâce à elle, vos bras sont plus forts que jamais. Quand vous prenez le temps de respirer ainsi, vous devenez une plante qui porte un sabre. Vous devenez un Hanaken.

Jitotsu fait encore quelques respirations bruyantes, les yeux fermés. Lorsqu'il finit par les rouvrir et par prendre une posture normale, un large sourire lui barre le visage. Il pose une main chaleureuse sur l'épaule de Satô.

— Merci !

Satô lui offre son plus beau sourire… jusqu'à ce que l'inquiétude le prenne.

— Vous n'allez pas en parler à Ichirô, n'est-ce pas ?

— Mais non, voyons ! le rassure Jitotsu. Il n'a pas besoin de savoir que je connais les secrets Hanaken. Après tout, je ne pourrais pas vraiment me mettre à les enseigner, n'est-ce pas ? Un Jitotsu qui prétend enseigner comme un Hanaken, ça ne ferait pas très sérieux.

Le talent d'un maître d'armes est bien plus important que son nom, peu importe ce que les adultes peuvent en penser. Satô hoche tout de même vigoureusement la tête.

— Je vais pratiquer ce que tu m'as enseigné en secret, ne t'en fais pas, murmure Jitotsu. Je n'ai pas l'intention de dévoiler mon avantage à qui que ce soit.

Il s'éloigne en sifflotant, satisfait. Dès qu'il est hors de vue, Satô se plaque les mains sur la bouche pour étouffer son rire. Comment peut-on croire à des choses aussi ridicules ! Respirer en se raclant la gorge n'a jamais fait de qui que ce soit un meilleur combattant. Pour être bon, il faut s'exercer inlassablement, c'est tout.

— Qu'est-ce qui te fait rire, Satô ? lance une petite voix.

Nanashi sort de derrière un bosquet de bambous. Il a l'air grave. Satô essuie ses yeux et tente de reprendre son souffle.

— Ton père raconte de drôles de choses, Nanashi. Tu sais comment sont les vieux parfois, si graves et si sérieux.

Satô utilise une voix basse et rauque pour dire ces derniers mots, singeant la façon de parler des hommes importants du clan. Nanashi glousse.

— Oui, je sais.

Nanashi baisse son regard vers ses pieds nus et dessine des arabesques dans l'herbe avec ses orteils. Sa main droite est repliée dans sa manche. Il regarde Satô un instant, semble hésiter à parler... puis il se remet à fixer ses pieds. Satô a l'impression de regarder un petit lapin qui ne sait trop s'il doit se risquer dans le potager pour voler une carotte.

— Tu voulais me demander quelque chose ? dit-il le plus doucement possible.

— Je ne veux pas t'embêter ! se récrie aussitôt Nanashi.

Cependant, il n'importune pas Satô. Ça l'étonne, d'ailleurs. Quand il est arrivé chez Jitotsu, il avait peur de trouver Nanashi énervant, Ichirô lui ayant répété depuis des années que les petits frères sont une nuisance pour leurs aînés. Nanashi ne doit pas agir comme un vrai petit frère.

— Tu ne me déranges pas. Dis-moi ce que je peux faire pour toi.

Nanashi hésite encore. Il dirige son regard vers Satô, mais sans lever suffisamment la tête pour rencontrer ses yeux. Il fixe quelque chose, à la hauteur de sa ceinture. Son sabre de bois. Bien sûr ! Contrairement aux autres garçons du village, Nanashi ne possède pas d'arme d'entraînement.

— Tu veux que je te le prête ? offre-t-il. J'en ai fini pour la journée.

Nanashi recule d'un pas, presque effrayé.

— Oh non ! Je... J'aurais juste voulu le tenir un peu.

Satô le lui tend.

— Pas de problème, vas-y.

Nanashi se rapproche, timide, la tête enfoncée dans les épaules. Il prend le sabre de la main gauche, avec maladresse. Le bois poli et huilé est presque aussi lourd qu'une lame d'acier. Comme Nanashi ne sait pas comment le tenir, la pointe pique vers le sol et la poignée menace de lui échapper. Satô est surpris. Avec une main déformée, Nanashi ne peut pas espérer devenir un grand guerrier, mais il lui serait peut-être possible de manier le sabre assez bien pour faire honneur à son statut de samouraï. Or, on dirait que personne n'a essayé de lui enseigner à se battre.

— Attends, dit Satô.

Nanashi se fige. De peur, peut-être ? Satô lui sourit et s'installe à côté de lui, comme s'il tenait un sabre imaginaire. Il lui montre à placer sa main haut sur la poignée, afin de mieux soutenir le poids de la lame. Évidemment, il donne ses explications en mimant avec sa main droite, car c'est ainsi qu'il a appris à tenir un sabre. Cependant, son père lui a toujours dit que si on était doté de deux mains, ce n'était pas pour faire joli. Nanashi peut bien utiliser sa main gauche.

Lorsqu'il a le sabre bien en main, Nanashi fait mine de couper l'air devant lui. Satô est grand pour son âge, tandis que Nanashi semble minuscule. Le sabre de bois de Satô est trop long pour lui, mais il arrive tout de même à le tenir à peu près correctement malgré son manque de pratique et ses muscles peu entraînés. Étonnant. Cela donne envie à Satô de lui en montrer un peu plus.

— Regarde bien, dit-il. Je vais te montrer le premier coup qu'on m'a appris : le coup descendant en avançant.

Il se met en position, expliquant rapidement le placement des pieds, le transfert du poids. Il en dit trop, il en est sûr, mais ce n'est pas grave. Nanashi boit ses paroles. Il en retiendra un ou deux éléments, comme Satô ne retenait qu'une ou deux idées dans les explications de

son père lorsqu'il avait cinq ans et qu'on a commencé à lui enseigner. Il empoigne son sabre imaginaire à deux mains.

— Tu vois, ta main la plus haute, c'est elle qui guide le sabre, mais tu dois utiliser ta seconde main pour bien le soutenir. C'est la paume qui…

Le visage de Nanashi s'assombrit aussitôt. Il tend son sabre à Satô.

— Merci, Hanaken Satô, dit Nanashi en s'inclinant. Un jour, je pourrai dire que le fils d'un maître d'armes m'a laissé tenir son sabre.

Le fils de Jitotsu se tourne vers sa maison et s'éloigne.

— Nanashi !

Le garçon ne s'arrête pas.

— Montre-moi ta main, Nanashi. Si tu en as une, même si elle a l'air du nez du pêcheur de crabes, elle suffit pour manier le sabre.

Cette fois, Nanashi s'arrête.

— Si tu te moques de moi, Satô, je viderai un pot de chambre sur toi pendant la nuit, dit-il en se retournant.

D'un geste brusque, Nanashi sort sa main droite de sa manche. Elle est horrible, on dirait une pince tordue. Satô avale sa salive et se force à la regarder. Elle est un peu plus petite qu'une main normale, avec seulement deux doigts crochus. Cependant, Nanashi a un pouce fonctionnel et son poignet a l'air en bon état… Satô en est là dans son examen quand le garçon rabat sa manche sur sa main. Nanashi regarde Satô en silence, comme Yukié le jour où il a remarqué du sang sur son kimono, à la hauteur de ses cuisses. Satô essaie de ne pas avoir l'air dégoûté. Ni de prendre Nanashi en pitié. Les familles de samouraïs aiment avoir des enfants parfaits. Ils désirent tellement cette perfection qu'ils sont souvent cruels envers les plus petits défauts. La main de Nanashi n'est pas aussi déformée qu'on le chuchote dans son dos.

— Jitotsu Nanashi, plus tard tu pourras dire que le fils d'un maître d'armes t'a enseigné le sabre.

Nanashi regarde Satô comme s'il venait de lui annoncer qu'Amateratsu, la *kami* du soleil, avait décidé de rester couchée le lendemain. Le garçon cligne des yeux plusieurs fois. Une larme roule sur sa joue. Il s'incline devant Satô, très bas, comme s'il était le seigneur du clan.

Et, tout d'un coup, Satô se demande s'il a eu une bonne idée. Que vont penser Jitotsu, Ichirô et Shûgatsu s'ils apprennent qu'il joue au maître d'armes avec l'infirme du clan?

7

DAME BEI, la concubine du seigneur, est souffrante. Elle a refusé de recevoir le seigneur dans sa chambre hier soir. La nouvelle est chuchotée dans tous les coins de la demeure depuis ce matin. Les serviteurs, des fils et des filles de paysans, se réjouissent. Ils espèrent que Dame Bei est à nouveau enceinte. Le fils qu'elle a donné au seigneur a déjà huit ans. Si elle pouvait porter un autre enfant pour la famille Takayama, cela rassurerait les paysans de la province.

Dame Akiko, l'épouse de Takayama, réagit au contraire avec inquiétude lorsque Dame Yoko, qui semble être toujours au courant de tout, vient lui rapporter la rumeur. Délaissant la broderie compliquée qu'elle tentait d'enseigner à Yukié, elle quitte la pièce en hâte. Yukié se retrouve seule avec la grosse Yoko.

— Vous ne comprenez pas ce qui se passe, n'est-ce pas, petite fille ? lui dit Yoko en souriant.

Yukié sourit en retour.

— Vous allez m'expliquer, n'est-ce pas ?

En vérité, elle aimerait mieux écraser le nez de Yoko à coups de sabre de bois que de lui parler, mais elle n'a pas le choix. Elle comprend pourtant très bien ce qui se passe : Dame Akiko est jalouse. Elle est plus jeune que Dame Bei, mais elle n'a jamais été enceinte. Yukié ne sait cependant pas pourquoi les femmes veulent tant porter des enfants. Il doit être détestable de se retrouver avec un ventre aussi énorme que celui de Yoko.

Yoko hoche la tête, pleine d'une bonne volonté à lever le cœur. Elle adore cancaner.

— Un mariage n'est valable que s'il aboutit à la conception d'un enfant. Si celui-ci n'arrive jamais, l'homme peut renvoyer l'épouse à sa famille et en prendre une autre. Dame Nita Akiko est en grand danger de perdre sa place. Dame Fuyuka Bei n'est pas une simple concubine. Elle est fille de samouraï, elle aussi. Le seigneur pourrait l'épouser si elle lui donnait un second fils.

Yukié ne peut s'empêcher de s'en vouloir : elle aurait dû le savoir. Misaki l'aurait su. Elle sait tout au sujet des mariages. Elle aurait aussi deviné que si on appelait la concubine du seigneur « Dame Bei », cela signifiait que c'était une samouraï, car les samouraïs sont les seuls qu'on respecte ainsi. Si le seigneur avait eu une concubine d'origine paysanne, Dame Akiko n'aurait pas été en danger. Un seigneur ne pourrait pas épouser une paysanne. Une samouraï, cependant…

— Mon frère va se sentir bien seul ce soir, soupire Yoko. Il serait étonnant qu'Akiko l'accueille dans son lit. Peu de gens sont au courant, mais ils ne s'aiment pas beaucoup.

Yukié ne peut pas dire que cette nouvelle l'étonne. Qui aimerait un homme capable d'ordonner à son maître d'armes, père de famille et allié de longue date, de s'ouvrir le ventre ?

— Je ne devrais pas raconter cela à une petite fille comme vous, mais mon frère a de grands appétits. Cela m'étonne d'ailleurs que Dame Bei soit arrivée à le combler pendant si longtemps…

Yukié rougit au mot « appétit ». Voilà qui tombe bien. Elle se cache derrière sa manche, comme elle a souvent vu sa sœur aînée le faire lorsqu'elle était gênée. Yoko se met à rire. Yukié calcule que plus Yoko la croira ingénue, plus elle lui donnera de renseignements. Ainsi le seigneur dormira seul ce soir ? Peut-être serait-il temps de s'approcher de lui.

Yoko finit par quitter la pièce, pour aller macérer dans un bain. Yukié décline son offre de l'accompagner. Elle s'est déjà baignée aujourd'hui, seule. Elle en est d'ailleurs fort heureuse. Quand elle partage le grand bain avec Yoko, elle a toujours l'impression que l'eau devient graisseuse.

Yukié reste assise, silencieuse, sur les *tatamis* de la pièce qu'on appelle la salle des femmes. Chaque jour, Dame Yoko, Dame Yaé et Dame Akiko s'y réunissent pour broder, lire ou écrire des poèmes, jouer de la musique, composer des bouquets, boire le thé. D'ordinaire, l'endroit est envahi par la présence imposante des trois femmes de la famille Takayama et par leurs servantes. Aujourd'hui, il est étonnamment paisible.

Yukié en profite pour réfléchir. Si Yoko a raison et que le seigneur a de grands appétits pour les femmes, c'est peut-être le moment d'essayer d'attirer son attention. S'il la traitait comme une concubine et qu'il la faisait appeler auprès de lui cette nuit, elle pourrait lui trancher la gorge et s'enfuir avant le matin. Sa famille serait fière d'elle.

Sa chambrette se trouve à côté de la salle des femmes. Elle y passe récupérer son petit poignard, celui qu'une femme samouraï conserve normalement toujours dans ses manches ou sa ceinture. C'est un cadeau de son père. Elle a cessé de le transporter partout avec elle parce que Dame Akiko trouve qu'il empêche les kimonos de bien tomber. Cependant, aujourd'hui, elle en a besoin. Sa présence lui donne du courage.

Elle se rend ensuite aux cuisines. En y entrant, elle se force à respirer rapidement, comme si elle était essoufflée.

— Le seigneur Takayama veut du *saké* ! dit-elle.

Les servantes la regardent comme si elle venait de tomber d'un nuage.

— Si tôt ? s'exclame l'une d'elles.

— Je ne vais pas aller le contrarier ! Il est de mauvaise humeur, je crois. Il m'a même prise pour l'une de vous !

Les femmes éclatent de rire. Elles mettent à chauffer un flacon de *saké* tout en faisant des jeux de mots dont le sens exact échappe à Yukié, mais qui parlent de nuit et de solitude.

Les servantes lui remettent finalement un plateau comportant un flacon de *saké* tiédi, une tasse et une coupelle de fèves de soya.

— Tiens, disent-elles.

Voilà Yukié au moment délicat de son plan. Elle essaie d'avoir l'air paniquée.

— Mais où est-il ? Il m'a croisée dans un couloir et m'a demandé du *saké*, mais il ne m'a pas dit où il allait.

Les femmes ricanent à nouveau.

— À cette heure-ci, il doit être dans la salle au faucon… mais prends garde qu'il ne décide de faire de toi sa proie !

Yukié ne comprend pas l'allusion, alors elle esquisse simplement une grimace gênée.

Elle quitte la cuisine, escortée par les moqueries des servantes. La salle au faucon, qui tire son nom d'une peinture qui orne l'une de ses cloisons, n'est pas très loin. Yukié s'y rend rapidement, pour éviter que le *saké* ne refroidisse. Le poignard dans sa manche la tente. Cependant, elle se raisonne : si elle poignarde le seigneur en plein jour, des gens l'entendront crier, on la capturera et on la tuera. Elle doit réussir à être seule avec lui, avec l'obscurité comme alliée. Pour cela, elle doit arriver à lui plaire.

Dans le couloir, elle s'agenouille devant la porte de la salle au faucon avant de cogner à l'un des montants. La voix du seigneur, surprise et bourrue, lui crie d'entrer. Elle fait coulisser la légère cloison de papier, puis s'incline à travers la porte ouverte.

— Ne m'a-t-on pas dit que mon illustre seigneur avait demandé du *saké* ?

Le seigneur grogne. Elle lui jette un coup d'œil, tout en gardant la tête baissée, comme le veut la politesse. Il est assis à l'autre bout de la petite pièce, devant une cloison ouverte qui permet d'admirer un jardin planté de cerisiers. Il lui tourne le dos. À portée de sa main, éparpillés sur les *tatamis*, elle remarque un *wakizashi*, des papiers, un pinceau à calligraphie et un encrier.

— Je n'ai pas demandé de *saké*, mais apporte-le puisque tu es ici, lance-t-il sans se retourner.

Elle se lève et s'approche à petits pas. Parvenue près de lui, elle s'agenouille et dépose le plateau. Elle sent son regard sur sa peau. C'est le moment d'être élégante. Elle balance un peu la tête pour faire bouger ses cheveux détachés. Ils sont longs et lisses, aussi beaux que ceux de Misaki. Ensuite, elle relève sa manche pour éviter qu'elle ne lui nuise tandis qu'elle sert le *saké*. Comme Misaki le faisait souvent à la maison, elle la relève inutilement haut, pour bien montrer la peau blanche et lisse de son bras. Dame Akiko et Dame Yoko commencent à avoir les bras mous et ridés. Le sien ressemble à un morceau de lune, rond et nacré. Voilà, si le seigneur la regarde, à présent il sait qu'elle est jeune et qu'elle a quelques attraits.

Elle lui verse une tasse de *saké* et lève la tête vers lui en la lui tendant. Les yeux de Takayama, plus noisette que noirs, sont toujours fixés sur le jardin. Son visage dur est aussi impassible qu'un masque taillé dans du métal. Elle s'est livrée à toute cette manœuvre de séduction pour rien. Il lui prend la tasse des mains sans la regarder.

— C'est tout. Laisse-moi, ordonne-t-il.

Elle ne se le fait pas dire deux fois. Elle quitte la pièce, découragée. Elle doit se rendre à l'évidence : le seul moyen qu'elle connaisse pour attirer l'attention d'un homme, c'est de le frapper à coups de sabre ! Comment Misaki pouvait-elle croire qu'elle réussirait à séduire le seigneur ?

8

L E SOIR TOMBE AUTOUR d'un Satô fort fatigué. Il a mangé des bols et des bols de riz durant le souper. Il en voudrait encore. Cela signifie sans doute qu'il va de nouveau se mettre à grandir. S'il continue, il va rattraper Ichirô, l'homme le plus grand du village. Quoiqu'il est peut-être affamé simplement parce qu'il s'entraîne beaucoup. Jitotsu le fait travailler très dur et, de plus, il s'exerce avec Nanashi. Ce dernier progresse. Il ne sera jamais très fort, à cause de sa main déformée, aussi Satô lui apprend-il à être rapide. En fait, il lui montre à se battre exactement comme leur père l'a enseigné à Yukié. Satô ne le dira cependant pas à Nanashi. Le garçon pourrait être insulté qu'on le compare à une fille… même à Yukié.

Il est encore tôt, mais tout ce dont Satô a envie, c'est d'aller se rouler en boule sur son matelas et de dormir. Nanashi arrive alors près de lui sur la galerie arrière de la demeure, un rouleau de papier sous le bras. Un livre. Encore. Avant l'arrivée de Satô chez Jitotsu, Nanashi passait ses journées au temple du grand *kami* Bouddha, à lire et à écrire. Il a recopié plusieurs livres de contes et de légendes. À présent, il s'est mis en tête qu'ils allaient les lire ensemble. Satô ne peut pas dire qu'il apprécie l'exercice. Il lit très lentement, comparé à Nanashi. De plus, il se fatigue vite des histoires de samouraïs qui mettent leur vie en danger pour sauver leur seigneur. Dans les contes, le seigneur est toujours juste, personne ne veut le trahir et il n'ordonne jamais à son maître d'armes de se suicider.

Il explique à Nanashi qu'il tombe de sommeil. Déçu, le garçon accepte tout de même de le laisser aller se reposer. Satô pénètre dans la maison et se dirige vers leur chambre. Il s'apprête à en ouvrir la cloison lorsqu'on le saisit par la manche.

— Ah, Satô, enfin ! chuchote Jitotsu. Il faut que tu viennes avec moi.

Sans plus d'explication, il le tire vers la galerie avant de la demeure. Là, Jitotsu passe ses deux sabres à sa ceinture, met ses sandales, attend que Satô fasse de même, puis l'entraîne sur la route. Ils la suivent un petit moment. Satô n'a pas le temps de poser de questions, car il doit presque courir derrière Jitotsu, lequel, pourtant pas tellement plus grand que lui, marche à pas pressés. Ils arrivent bientôt à un sentier qui quitte la route et traverse un bosquet de pruniers. Jitotsu s'y engage sans ralentir.

Satô continue de le suivre, mais à présent il sait où ils se rendent. Ce sentier mène à un petit lac, auprès duquel se dressent les bâtiments de l'ancien temple du Bouddha. Le nouveau temple a été édifié à l'autre bout du village, près de la demeure du seigneur. L'ancien temple est désormais visité uniquement par quelques vieillards superstitieux, ainsi que par des amoureux en quête d'intimité. Le jour, c'est un endroit calme et solitaire. La nuit, il est sinistre. Certains disent même qu'il est hanté.

Les fantômes inquiètent Satô, mais une déduction s'impose à lui et le laisse cœur battant, tout excité, peur et fatigue oubliées : le temple est un lieu de réunion parfait pour des conspirateurs. Jitotsu va peut-être rencontrer des hommes qui faisaient partie des plans de son père pour trahir le seigneur !

En sortant du bosquet de pruniers, ils arrivent sur la rive du petit lac. La nuit est tombée, mais la lune presque pleine illumine les alentours. La pagode à trois niveaux du vieux temple, une curieuse tour très mince ponctuée de toits aux bords relevés, s'élève sur une avancée de roc. Un petit pavillon, à peine plus qu'un toit de bois soutenu par quatre piliers, se dresse plus près du sentier, sur la plage de galets. Satô sait que ce pavillon abrite une statue du *kami* Mizugo, l'esprit du lac. Il est parfois venu le prier avec sa grand-mère, car elle dit que ce *kami* protège leur petite province et fournit l'eau pour les champs des paysans. Selon elle, il faut l'honorer pour obtenir de bonnes récoltes et un village paisible.

Jitotsu lui désigne le petit pavillon.

— Attends-moi ici, Satô. Je vais aller dans la pagode. Je... je veux prier en paix. J'en ai pour une heure. Si tu vois quelqu'un s'approcher, fais du bruit pour me prévenir.

Jitotsu le prend pour un idiot ou pour un ignorant. Satô sait bien que la pagode, contrairement au pavillon, est vide. Une statue du Bouddha s'y dressait auparavant, mais les moines l'ont emportée avec eux dans le nouveau temple. On ne prie pas dans un temple abandonné. Cela porte malheur.

— Bien sûr, pas de problème ! dit-il tout de même à Jitotsu. Je vais en profiter pour méditer en compagnie de Mizugo.

Jitotsu s'éloigne. Satô entre dans le petit pavillon. Il y fait un noir d'encre. Il voit toujours la pagode, au loin, mais il devine à peine la forme de l'antique statue pourtant placée juste devant lui. Il a un instant d'hésitation. Normalement, il devrait frapper trois fois dans ses mains pour attirer l'attention du *kami* avant de prier, mais il n'ose pas. Dans l'obscurité, il ignore si la statue posée sur le piédestal est vraiment celle de Mizugo. Et si quelqu'un de mal intentionné l'avait remplacée par celle de Kitsune, le renard joueur de mauvais tours ? Ou par celle d'un *kami* pire encore ? Non, décidément, c'est trop risqué. Il ne veut pas attirer l'attention d'un mauvais esprit.

Il sort du pavillon. Jitotsu a disparu à l'intérieur de la pagode. Les fenêtres du haut bâtiment luisent faiblement comme si quelqu'un, à l'intérieur, avait allumé une chandelle de jonc. Il doit savoir qui Jitotsu est venu rencontrer. Prendra-t-il le risque de s'approcher ? Les autres visiteurs sont sûrement déjà dans la pagode, sinon Jitotsu ne lui aurait pas demandé de faire le guet.

Il ôte rapidement ses sandales et les laisse à l'abri du pavillon ; pieds nus, il sera plus silencieux. En se penchant pour pouvoir mieux observer le sol et pour éviter de projeter une ombre, il court vers la pagode. Son cœur bat à toute allure. Sous ses pieds, les galets ronds et tièdes cèdent bientôt la place au roc, humide et couvert de mousse. Il ralentit pour ne pas glisser.

Il arrive sans encombre jusqu'au bâtiment et s'efforce de respirer lentement pour contrôler son essoufflement. S'il se laisse aller, ses inspirations risquent de devenir bruyantes. Il n'ose pas toucher tout de suite au mur de la pagode. Son cœur bat si fort! Il a peur qu'il résonne dans l'édifice à travers les planches de bois! Il craint aussi que la porte de la pagode s'ouvre et qu'on le surprenne en train d'espionner. Ce ne serait pas la première fois, mais, ce soir, c'est plus grave que de tenter de surprendre les secrets que s'échangeaient Mère et Misaki.

Il se calme peu à peu. Il sait que la pagode n'est constituée que d'une seule grande pièce. Auparavant, la statue du Bouddha s'adossait à l'un des murs. À présent, la salle est vide. Il n'a qu'à se relever un peu pour regarder par l'une des fenêtres et il découvrira les visages des hommes qui étaient prêts à aider son père à se débarrasser du seigneur. Misaki et Ichirô seront si fiers de lui!

Il se redresse avec prudence. Juste assez pour que ses yeux dépassent le montant inférieur de la fenêtre. Le papier en est déchiré, il peut voir sans peine au travers. Cependant, il lui faut un moment pour comprendre le spectacle qui lui apparaît. Alors qu'il s'attendait à découvrir une réunion de graves samouraïs vêtus avec discrétion, son œil est plutôt assailli par un flot de couleurs chatoyantes. Non loin de la fenêtre, un riche kimono de femme a été abandonné sur le sol, juste à côté d'une chandelle. La lumière joue sur l'étoffe rouge et les broderies dorées, semblant insuffler la vie aux petits dragons qui se tortillent le long des manches.

La première surprise passée, il constate que la dame à qui appartient le kimono est étendue non loin de son vêtement. Elle est dévêtue et Jitotsu…

Il se jette en arrière et s'éloigne le plus rapidement possible de la pagode pour aller se réfugier dans le pavillon du *kami*. L'obscurité dissimule sa gêne. Ce n'est pas la première fois qu'il surprend un couple lors d'une rencontre intime… mais il ne s'attendait pas à découvrir ce soir que Jitotsu a une amante secrète.

C'est son épouse qui ne serait pas contente de l'apprendre !

9

YUKIÉ N'EST PAS SORTIE dans la cour pour
s'entraîner cet après-midi. Elle a préféré se réfugier dans la salle d'armes intérieure, une grande
pièce au plancher patiné par les ans, voisine de la salle
au faucon, où les samouraïs s'exercent les jours de grand
froid. Tous les hommes du seigneur étant partis avec
lui pour patrouiller l'une des frontières du fief, Yukié
profite de la salle déserte pour s'exercer à l'abri de tous
les regards. Leur absence lui évite de se ridiculiser. Car
aujourd'hui, elle pratique des manœuvres au *naginata*.

Elle porte un coup en piqué et garde la pose.
Voyons... Son bras est trop haut. Elle exécute de nouveau le mouvement. Encore. Bon, il est correct à présent. Ses pieds sont-ils bien placés ? Difficile à dire... Ils
lui semblent un peu trop rapprochés. Et si elle essayait...

En faisant une plus grande enjambée tout en prenant un bon élan, elle se cogne la cuisse avec la hampe

de la lance. Sa jambe s'engourdit aussitôt. Comment peut-on se battre avec cette chose ? La tactique la plus efficace serait de prier pour que l'adversaire lui fonce dessus ! Elle doit pourtant apprendre à manier le *naginata* si elle veut que les femmes de cette maison cessent de se moquer d'elle.

Elle marche un peu pour calmer l'élancement de sa cuisse, puis elle reprend. Elle pratique l'enchaînement qu'elle a souvent vu Père expliquer à Misaki. Un pas en piquant, un pas croisé, un pas en piquant, puis un pivot sur place suivi d'un coup tranchant. Simple et supposé être efficace, mais les coups manquent de force. Peut-être que si…

— On m'avait dit que la plus jeune des filles Hanaken maniait le sabre, remarque soudain une voix grave.

Interrompue juste au moment du pivot, elle se retrouve face à l'homme qui vient d'entrer, lance pointée. Ses yeux s'arrêtent sur le visage dur, aux yeux plus noisette que noirs. Les réflexes appris depuis son enfance prennent le dessus. Elle laisse tomber sa lance et recule de trois pas en s'inclinant. Quelle honte ! Elle vient de brandir une lance devant son seigneur. Heureusement, c'était une lance à pointe de bambou, sinon cela pourrait lui valoir d'aller rejoindre ses parents dans l'au-delà !

— Pardonnez-moi, seigneur Takayama, se hâte-t-elle de dire. Je ne m'attendais pas à vous voir ici.

— Mes samouraïs n'ont pas besoin de moi pour tenir la frontière du sud, répond-il d'une voix bourrue en s'assoyant sur le parquet de bois de la salle. Allons, viens t'asseoir près de moi et réponds-moi, fille des Hanaken. M'a-t-on dit, ou pas, que tu maniais le sabre ?

Elle obéit, intimidée. En même temps, elle se trouve stupide. Pourquoi s'est-elle sentie honteuse de l'avoir menacé avec une simple arme d'entraînement ? Elle veut le tuer ! Maudits soient ses réflexes et toute cette politesse qu'on lui a apprise... Le seigneur la met mal à l'aise avec ses yeux trop clairs et trop vigilants.

— En effet, seigneur, on vous l'a sans doute dit.

— Pourquoi t'ai-je vu t'entraîner au *naginata* alors ?

Que répondre ? Mentir et dire qu'elle avait envie de manier la lance ? Accuser sa sœur et les autres femmes de se moquer d'elle ?

— C'est l'arme des femmes, dit-elle.

Elle est fière de la neutralité de sa réponse.

— Folie ! aboie le seigneur.

La violence de cette réaction la fait sursauter.

— Le *naginata* n'est pas seulement l'arme des femmes, poursuit-il. Plusieurs de mes samouraïs de bas rang le préfèrent au *katana*. Il faut moins d'entraînement que le sabre pour le manier efficacement et il est très utile contre les chevaux.

— Pardonnez mon ignorance, seigneur Takayama.

Elle se mord les lèvres, gênée. Elle connaissait ces faits, rapportés par Grand-Mère quelques années plus tôt. Cependant, elle les avait un peu oubliés, car les samouraïs du village sont tous des manieurs de sabre. Les lanciers habitent probablement dans la campagne, presque impossible à distinguer des paysans.

Le seigneur soupire.

— Maintenant que tu sais, n'apprends pas le *naginata* parce qu'on t'a dit que c'était mieux pour une femme, fille des Hanaken. Si tu aimes le sabre, exerce-toi au sabre.

Elle hoche la tête, touchée malgré elle. Son père a toujours approuvé son choix d'arme de prédilection, mais, jusqu'ici, il était bien le seul.

— Quel est ton prénom, fille des Hanaken ? continue le seigneur.

Il a l'air grave et sérieux, comme si la réponse était importante.

— Yukié.

— Eh bien, Yukié, sache qu'au cours de ta vie, ton devoir de samouraï exigera de toi bien des choses qui te déplairont. Ne t'en impose pas davantage pour bien paraître aux yeux de quelques commères.

Le commentaire la laisse perplexe. On lui répète depuis des années qu'un samouraï ne vit que pour obéir aux impératifs de son devoir et aux ordres de son seigneur. Elle a toujours trouvé cette obéissance pénible, mais selon Mère et Misaki, c'était parce qu'elle était une mauvaise fille. C'est bien la première fois qu'un adulte lui laisse entendre qu'il est normal de trouver pesantes certaines obligations.

— Alors, Yukié, dis-moi, vas-tu continuer à manier le *naginata* ?

— Non, seigneur Takayama !

L'exclamation lui a échappé, beaucoup trop forte et spontanée pour être polie.

Le seigneur lui sourit, amusé. Elle ne peut s'empêcher de constater que cela le rend très beau. Son visage est beaucoup moins dur lorsqu'il s'éclaire d'un sourire. Pour un instant, il ne ressemble plus à l'homme qui a regardé mourir son père et sa mère. Il se lève d'un mouvement souple et lisse son *hakama* pour en replacer les plis.

— Excellent ! Les combattants de ma maison s'entraînent le matin. N'oublie pas.

Elle pose les mains sur le sol et s'incline très bas. Elle n'ose pas en croire ses oreilles. Le seigneur vient de l'inviter à l'entraînement de ses gardes personnels! L'honneur qu'il lui fait pèse sur ses épaules comme si le toit de la pièce venait de s'effondrer. Père lui a toujours dit que les gardes du seigneur étaient les meilleurs combattants du clan. Elle a souvent rêvé de pouvoir se mesurer à eux.

— Votre épouse… ne peut-elle s'empêcher d'objecter à voix basse en pensant à ce que va dire Dame Akiko lorsqu'elle apprendra sa nouvelle activité.

— Mon épouse dirige ma maison et mes serviteurs, pas mes soldats, répond le seigneur. Et moi, je ne laisse pas rouiller les bons *katanas*.

Elle reste agenouillée sur le sol, tête baissée, alors qu'il sort de la pièce. Elle a essayé en vain de se faire remarquer. Elle a réussi alors qu'elle n'essayait pas. Elle veut le tuer. Elle le trouve gentil.

Elle ne sait plus quoi penser.

AUJOURD'HUI, Jitotsu a décidé que Satô et lui allaient s'entraîner avec les autres samouraïs du clan, dans la grande prairie du village, au lieu de travailler ensemble dans la cour derrière sa demeure. Jitotsu affronte ainsi des adversaires plus forts que Satô, tandis que celui-ci peut enfin comparer sa progression à celle de jeunes de son âge.

Sâto trouve plaisant de ne pas être le moins bon des duellistes, pour une fois. Jitotsu lui fait toujours sauter des mains son sabre de bois. Aujourd'hui, l'arme semble au contraire collée dans sa paume. Il a aussi appris à mieux tirer avantage de sa grande taille. Il gagne facilement tous ses combats. Il s'amuse. Il a l'impression d'être invincible !

Il prend une pause après un affrontement particulièrement long et essoufflant lorsqu'il voit s'approcher Ichirô. Il le salue en s'inclinant plus bas qu'il n'en avait l'habitude. Son frère est un homme adulte à présent. Son mariage, qui remonte à la veille, lui a conféré ce statut. Devant l'un des moines du temple, il a échangé avec son épouse trois coupes de *saké*, puis il l'a ramenée dans la maison familiale… enfin, la sienne à présent. Ce matin, le nouveau marié se promène fièrement avec les deux sabres de son père à la ceinture, pour que tous voient bien qu'il est désormais un samouraï à part entière.

Satô n'est pas certain qu'à sa place il serait aussi fier d'être officiellement devenu adulte. Les samouraïs pardonnent bien des erreurs aux enfants, mais pas aux adultes. Un homme qui commet une faute sera méprisé, son honneur sera sali et il devra vivre avec cette honte. S'il est chanceux, il trouvera un moyen de racheter rapidement son honneur. Cependant, s'il s'agit d'une faute grave, comme insulter le seigneur ou lui faire perdre la face, il est fort probable qu'il devra laver son honneur dans le sang, comme leurs parents ont dû le faire.

Décidément, être considéré comme un adulte semble très dangereux. Satô sait bien qu'il n'est plus un enfant, mais il n'est pas sûr d'avoir hâte que le reste du monde le sache. Dans certains clans, il paraît que les garçons deviennent adultes dès treize ans, après une petite cérémonie présidée par leur père. Dans leur province, c'est rarement avant seize ans et, le plus souvent, c'est le mariage qui sert de point de passage. Il y a eu une époque où il trouvait cela injuste. Après avoir vu son père mourir, cela ne le dérange plus du tout.

Ichirô regarde discrètement autour d'eux. Tout le monde est occupé à s'exercer.

— Alors, petit frère aux grandes oreilles, qu'as-tu appris ? murmure-t-il à Satô.

— Rien pour le moment, répond-il.

Il ne va quand même pas raconter que Jitotsu a une aventure. Surtout qu'il a croisé la dame au village ce matin. Il l'a reconnue à son kimono : c'est l'épouse de l'un des samouraïs. Si son mari apprend qu'elle le trompe, il pourrait lui ordonner de se trancher la gorge. Satô a vu assez de sang pour cette année.

— J'ai entendu dire que tu passais beaucoup de temps avec l'infirme de Jitotsu, dit Ichirô. On l'aurait même vu agiter une branche d'arbre comme si c'était un sabre…

Gêné, Satô se tortille un peu, avant de se rendre compte que cela risque de confirmer les soupçons d'Ichirô. Il se contrôle de son mieux.

— Euh, oui, je passe du temps avec Nanashi. Il est très intelligent, tu sais, et il pourrait apprendre à se battre, je pense…

— Ah, tu penses ? Tu te prends pour un maître d'armes, à présent ? Tu veux hériter du poste à ma place ?

Satô secoue la tête, sans oser rappeler à Ichirô qu'il n'est plus tout à fait en position d'hériter du titre de maître d'armes. Ce sont sans doute les enfants de Misaki qui seront un jour les maîtres d'armes du clan.

— Si tu aimes la compagnie des infirmes et des incapables, je peux te faire envoyer au monastère, tu sais !

Ces mots glacent le sang de Satô. Au monastère ? Dans le temple ? Avec les moines qui ne portent pas de sabre ? Et qui lisent et prient toute la journée ? Plutôt mourir !

Voyant que sa menace a eu l'effet escompté, Ichirô abandonne le sujet.

— Arrête de perdre ton temps, alors ! Il faut que tu poses plus de questions, petit frère, le presse-t-il.

Satô est surpris de l'urgence de son intonation. Il essaie de n'en rien laisser paraître, mais son frère aîné ne s'y trompe pas.

— Je suis marié à présent, explique-t-il. Si Kiku, mon épouse, me donne un enfant, je ne veux pas qu'il grandisse sous les ordres d'un seigneur que notre père jugeait indigne de nous. Je comprends mieux notre père, à présent. Nous devons absolument poursuivre son œuvre !

Sur ces mots, Ichirô s'incline et s'éloigne à grands pas. Comme il semble changé, ce grand frère ! Si sérieux et si grave… Le devoir de Satô lui commande de lui obéir et de l'aider. Il finira bien par y arriver.

Mais pas en ce qui concerne Nanashi. Ichirô vient de lui faire comprendre que s'il n'enseigne pas tout ce qu'il peut au fils de Jitotsu, personne d'autre ne le fera. Pauvre Nanashi. Il est samouraï, lui aussi. Apprendre à se battre, c'est son devoir. Il faut l'aider à l'accomplir.

LA PIÈCE DES FEMMES était étouffante cet après-midi. Dame Akiko, Dame Yoko et Dame Yae ignoraient superbement Yukié. Elles sont fâchées de la voir partir pour s'entraîner avec les samouraïs chaque matin. Comme c'est une invitation du seigneur, elles ne peuvent pas l'en empêcher, mais elles lui font savoir leur désapprobation en lui rendant le plus désagréable possible chaque instant en leur compagnie. Yukié ignore ce qu'elles pensent gagner de cette façon. Elle ne sait pas non plus pourquoi elles tiennent tant à ce qu'elle s'intéresse aux mêmes choses qu'elles. Elles disent qu'elle ne sera jamais une bonne épouse. Tant mieux. Peut-être évitera-t-elle ainsi de devoir se marier.

Elle a bien fait de s'éclipser. Sachant que les dames ne lui donneraient pas la permission de sortir, elle a attendu qu'elles aient le dos tourné, elle a sauté en bas de la galerie et elle a couru jusqu'au jardin aux cerisiers.

À cette heure-ci, il est très paisible. Les pavillons qui donnent sur ce jardin ne comportant pratiquement que des chambres, ils sont déserts durant la journée.

Elle s'assoit sur une pierre plate chauffée par le soleil, devant l'un des cerisiers. L'arbre en fleur est magnifique, ses feuilles vertes en contraste saisissant avec les pétales d'un rose délicat. Ses effluves sucrés enveloppent Yukié comme un luxueux parfum. Demain, une petite fête est prévue dans la maisonnée. Les samouraïs et leurs épouses viendront prendre le repas du midi dans le jardin aux cerisiers, sous les branches fleuries, afin d'admirer la floraison et de célébrer le retour de la saison chaude.

Alors qu'elle se réjouit justement d'être seule, aujourd'hui, à se délecter de la beauté des arbres en fleurs, elle entend une cloison coulisser dans son dos. Elle se retourne avec un soupir déçu, prête à saluer la personne qui trouble ainsi sa contemplation sereine.

Elle se fige au milieu de sa révérence. La cloison qui vient d'ouvrir donne sur la salle au faucon. Assis tout au bord du plancher surélevé, le seigneur la regarde, l'air aussi surpris qu'elle. Elle se reprend et termine sa salutation. En silence, car elle ne sait pas quoi dire.

— Admirais-tu les cerisiers, Yukié ? lui demande le seigneur.

Elle acquiesce.

— Ne reste pas sur les pierres, alors. Viens t'asseoir près de moi.

Elle s'approche du bâtiment et se hisse tant bien que mal à travers la cloison ouverte. Il est plus facile de sauter en bas d'une pièce que d'y grimper ! Elle essaie d'essuyer discrètement ses pieds. Elle a couru sans sandales dans les jardins et elle ne voudrait pas mettre de terre sur les *tatamis* de la salle. Dans cette maison, certaines personnes superstitieuses croient que la terre est impure et porte malheur.

Elle s'agenouille sur les *tatamis* près du seigneur. Le voyant plongé dans la contemplation du cerisier, elle y ramène également son attention. Le temps passe, silencieux, paisible. Une partie d'elle se dit que si elle avait son poignard, ce serait sans doute le bon moment pour agir : personne ne semble être à portée de voix. Cependant, la seule arme de la pièce est le *wakizashi* du seigneur, posé à portée de sa main. Elle ne pourrait pas s'en emparer sans qu'il réagisse. De toute façon, le moment est si calme ! Elle n'a pas envie d'en faire éclater l'harmonie.

Elle a du mal à l'admettre, mais elle doit bien l'avouer : le seigneur commence à la fasciner. Il semble penser différemment des autres adultes de sa connaissance. Peut-être parce que tous les autres adultes doivent lui obéir tandis que lui donne les ordres, planifie, réfléchit… D'ailleurs, en ce moment, il semble habité par de sombres pensées. Il fronce les sourcils et crispe les mâchoires en observant le spectacle, pourtant bien inoffensif, des cerisiers.

Elle réprime sa curiosité de son mieux et plonge de nouveau son regard dans l'amas de fleurs. Certaines sont plus pâles, d'autres plus foncées, la brise les agite doucement… Pourquoi fronce-t-il encore les sourcils ?

— Quelque chose vous tourmente, seigneur Takayama ?

Il expire longuement, comme Père a appris à ses enfants à le faire pour chasser l'énervement avant un combat, puis il tourne la tête vers elle.

— Que sais-tu de la situation politique de mon fief, Yukié ?

Elle hausse les épaules. Chez elle, on ne parlait pas de politique.

— Mon domaine, le fief Takayama, est minuscule, Yukié. À l'époque de mon père, ce n'était qu'un petit territoire familial, donné à ma lignée par un grand seigneur, un *daimyô*. À présent que les grands seigneurs se battent entre eux et ne s'occupent plus de leurs sujets, j'ai fait de mes terres une province qui se suffit à elle-même et dont je suis le seul maître, mais ma position est fragile.

Tout cela semble un peu compliqué pour Yukié, mais elle l'écoute en silence. Elle sait qu'il existe, plus loin à l'est, de grandes provinces et de grands seigneurs. Mère venait de cette région.

— Le fief manque de terres cultivables. Au nord, de l'autre côté de la montagne, il y a cependant une grande rizière. Elle m'appartient et les paysans qui y travaillent savent que je suis leur seigneur, mais elle est loin d'ici et difficile à protéger. Le seigneur du fief voisin, Gokoro, envoie parfois ses samouraïs voler les récoltes de mes paysans. Lui aussi manque de terres cultivables. Lorsqu'il réussit ses attaques, il gagne une récolte complète et certains de mes guerriers périssent. Lorsque j'arrive à temps avec mes samouraïs et qu'il échoue, ce sont ses hommes qui meurent. Je trouve cette situation intolérable. Je lui ai proposé un partage des récoltes, mais il n'en veut pas. Il préfère guerroyer. Année après année.

La solution de cette impasse semble facile à Yukié.

— Écrasez-le alors. Une fois pour toutes.

— Ce n'est pas si simple. Nous sommes à forces

égales et le terrain autour de la rizière est difficile. Il faudrait que j'aie le temps d'y construire un fort et des défenses, mais avec les attaques incessantes, c'est impossible.

La réponse du seigneur l'étonne. Dans un combat au sabre, lorsque l'adversaire attaque toujours au même endroit, il devient très facile de le vaincre.

— Pardonnez-moi, seigneur Takayama, mais pourquoi voulez-vous vous battre avec lui auprès de la rizière ? Prenez-le par surprise. Faites-lui croire que vous allez défendre la récolte à la rizière, puis contournez-le et allez détruire son village. Ensuite, attendez-le avec votre armée tout entière, même les samouraïs à un seul sabre. Écrasez-le une bonne fois, tuez tous ses hommes et les problèmes seront terminés !

Il la regarde intensément pendant un moment et elle craint d'en avoir trop dit. Elle a été très affirmative, très impolie, il pourrait en être insulté… Au moment où elle se demande si elle ne devrait pas s'incliner bien bas pour s'excuser, il éclate de rire.

— Tu es bien une fille des Hanaken pour avoir des idées semblables ! déclare-t-il en reprenant son sérieux.

Elle ne comprend pas ce qu'il veut dire, mais son amusement la soulage : il n'est pas fâché. Il montre du doigt les cerisiers.

— Sais-tu qu'on compare souvent les samouraïs à des fleurs de cerisier, Yukié ?

Elle acquiesce, un peu froissée. Bien sûr qu'elle le sait. Même les paysans le savent.

— Mais en connais-tu la raison ?

Elle bafouille un peu. On a déjà dû le lui dire, mais elle n'a jamais porté beaucoup d'attention à la philosophie et aux superstitions, alors elle ne s'en souvient plus.

Voyant son embarras, le seigneur explique.

— Les fleurs de cerisier sont très belles, mais aussi très fragiles et éphémères. Elles tombent souvent des arbres avant d'être fanées, emportées par le vent. On dit que les samouraïs sont comme elles, car ils meurent fréquemment avant d'être vieux.

Les paroles du seigneur la font réfléchir. C'est vrai, il y a tant de façon de mourir jeune lorsqu'on est samouraï ! Une guerre, une erreur, un duel, un ordre donné par un seigneur mécontent... Elle observe à nouveau l'arbre devant elle. Un souffle de vent en agite les fleurs. L'une d'elle se détache et tombe. Cette fleur représente-t-elle l'âme de Père ?

Soudain, le seigneur se lève d'un bond.

— Regarde bien ce qu'une guerre comme celle que tu me proposes peut faire à un fief.

Il saute du plancher surélevé, atterrit sur l'herbe du jardin et se dirige vers le cerisier. Là, il agrippe une branche à deux mains et se met à la secouer violemment. Les fleurs se détachent et tombent. Pendant un instant, les délicats flocons pleuvent, magnifique averse. Bientôt, cependant, il n'en reste plus. Le seigneur remonte dans la pièce, mais il ne s'assoit pas. Yukié sent qu'il la regarde tandis qu'elle observe la branche qu'il a maltraitée. Dénudée de ses fleurs, elle semble terne à côté des autres. Malade. Mourante malgré ses feuilles encore vertes.

Elle entend la porte de la salle au faucon s'ouvrir et se fermer dans son dos. Le seigneur est parti.

12

SATÔ AIMERAIT VRAIMENT que Jitotsu ne lui demande pas de monter la garde chaque fois qu'il va rencontrer sa maîtresse! C'est la troisième fois en dix jours qu'il se retrouve sur la rive du petit lac à la nuit tombée. Il n'aime pas du tout cet endroit. De plus, ce soir, il pleut. Le pavillon du *kami* étant ouvert de tous les côtés, la moindre petite brise amène l'eau à l'intérieur et Satô se retrouve trempé. La faible lueur qui émane des fenêtres de la pagode lui semble follement attirante. Il doit faire chaud et sec à l'intérieur.

Comment Jitotsu s'y prenait-il avant qu'il ne vienne habiter sous son toit? Demandait-il à Nanashi de monter la garde? Non, Satô imagine difficilement son ami grelottant, seul dans la nuit, au milieu des fantômes de l'ancien temple, sans arme. Il resserre la main sur la poignée de son *wakizashi* pour se rassurer. Si les fantômes l'attaquent, il les recevra avec sa lame d'acier! Celle-ci est assez tranchante pour découper en rondelles même des esprits. En tout cas, il l'espère.

Pour passer le temps, il se récite le dernier conte que Nanashi lui a lu. Il s'est promis de s'en souvenir, car c'est le récit de la création du monde par les deux grands *kamis* Izanagi et Izanami. Il aime bien Izanami. Elle a si mauvais caractère ! Elle lui fait penser à Yukié.

Au cours de la sixième répétition du texte, il commence à se dire qu'il se passe quelque chose d'anormal. Jitotsu se trouve dans la pagode depuis au moins deux bonnes heures, alors qu'il n'y passe habituellement pas plus d'une heure. Pourquoi s'éternise-t-il cette fois ?

Satô n'a aucune envie de le surprendre à nouveau dans les bras de sa maîtresse, mais Jitotsu l'ayant amené avec lui pour garantir la sécurité de sa rencontre secrète, il est de son devoir de s'assurer que tout va bien… Ou enfin, ce prétendu devoir constituera une bonne excuse s'il se fait prendre à espionner.

Il s'approche silencieusement de la pagode, jusqu'à être assez près pour jeter un coup d'œil par une fenêtre. Il ne risque qu'un rapide regard, mal à l'aise à l'idée de surprendre encore un couple enlacé. Cependant, cette fois, la scène a changé : au lieu de deux corps nus, il distingue trois silhouettes vêtues de kimonos sombres, rassemblées autour d'une chandelle de jonc.

Excité par sa découverte, il parvient à trouver un angle qui lui permet d'observer l'intérieur de la pagode sans être lui-même trop visible et il s'attarde aux détails de la scène. Jitotsu est assis en tailleur devant deux autres samouraïs. Satô connaît l'un d'eux. C'est Kurotani, un samouraï du village et ancien garde personnel du seigneur. Il a souvent entendu son père dire que Kurotani, en échange de ses services, aurait mérité de devenir capitaine des gardes au lieu de se voir simplement offrir une maison et des terres. Dans son esprit, il n'y a aucun doute : si son père avait mis une conspiration sur pied, Kurotani en faisait certainement partie.

L'autre samouraï lui est inconnu. Son kimono est élimé et il n'y a pas de *wakizashi* près de lui. C'est sans doute l'un de ces guerriers pauvres qui sont difficiles à discerner des paysans en temps de paix. Sa participation à une conspiration s'explique aisément : Père a dû promettre de lui accorder le statut de samouraï à deux sabres.

Le petit groupe discute à voix trop basse pour que Satô puisse entendre. Cependant, à des signes subtils, il comprend que la conversation s'achève. Les mains se tendent lentement vers les sabres et commencent à les replacer dans les ceintures, les pieds s'agitent...

Il retourne prestement s'abriter sous le pavillon du *kami*. Il n'y est que depuis quelques minutes lorsque la chandelle est soufflée à l'intérieur de la pagode. Aussitôt, Jitotsu sort de l'édifice et se dirige vers lui à grands pas.

— J'espère que je ne t'ai pas trop fait attendre, Satô. Je crois que je me suis endormi en priant ce soir.

— Ça va... J'ai failli m'endormir moi aussi. C'est le froid qui m'a tenu réveillé.

Jitotsu fronce les sourcils.

— Hanaken Satô, lance-t-il sèchement, t'endormir serait inexcusable. Monter longuement la garde malgré des circonstances difficiles fait partie des tâches qu'un samouraï doit savoir accomplir.

Satô s'excuse en baissant la tête, embarrassé. Quitte à mentir, il aurait pu inventer une meilleure réponse !

Heureusement, le sermon est de courte durée. Tandis qu'ils marchent parmi les pruniers en direction de la demeure de Jitotsu, Satô profite de l'obscurité pour sourire largement. Il croit connaître à présent les visages de deux des alliés de son père. Il doit être patient et s'assurer que ses hypothèses sont exactes, mais, si elles le sont, ses aînés seront fiers de lui.

13

LA MAISON DU SEIGNEUR bourdonne d'activité aujourd'hui. Tous les samouraïs du village sont venus admirer les cerisiers en compagnie de leurs épouses. Les servantes s'agitent et courent pour servir tout ce monde. Le jardin aux cerisiers est bondé, de même que toutes les pièces qui y donnent. On profite de ce moment de détente, on s'extasie, on exhibe ses plus beaux vêtements, on récite des poèmes, on se murmure les derniers potins...

Et Yukié s'ennuie à en mourir! Seule l'apparition de Dame Bei arrive à la distraire un instant. Bien que vivant sous le même toit, elle ne l'avait qu'entraperçue jusqu'ici. Sa beauté fragile, pâle et mince, la saisit. Dame Bei semble d'autant plus délicate qu'elle est gravement malade... et non pas enceinte comme le disait la rumeur. Elle tousse continuellement et crache du sang dans un mouchoir. Elle accomplit cependant ces gestes avec une discrétion et une grâce consommées.

Yukié observe Dame Bei à la dérobée, en essayant de se pénétrer de l'élégance de ses gestes, lorsque quelqu'un heurte sa cheville en s'agenouillant près d'elle. En se tournant, sourcils froncés, vers le malappris, elle découvre Misaki. Celle-ci a le visage poudré, un chignon élaboré garni de pendeloques et un kimono foncé, comme il sied à une femme mariée. C'est étrange de la voir ainsi. On dirait Mère. D'ailleurs, l'éventail qu'elle tient à la main lui a appartenu.

— Yukié! N'est-ce pas agréable de se voir ainsi, après si longtemps? s'exclame Misaki très fort.

Elle a adopté un ton nasillard et criard qui ne lui ressemble pas. Toutes les personnes présentes dans le jardin et sur les galeries avoisinantes se tournent vers les deux sœurs. Misaki mime alors une confusion exagérée, dissimulant sa gêne derrière son éventail. Prenant Yukié par la manche, elle l'entraîne à l'intérieur du bâtiment, loin des cerisiers.

Yukié comprend aussitôt que l'éclat de voix de Misaki a été délibéré. Les pièces de la demeure qui ne donnent pas sur le jardin aux cerisiers étant désertes, elles pourront y parler en paix. Elles prennent place dans la salle des femmes. Si elles s'y éternisent, Yukié pourra faire croire qu'elle montrait à sa sœur l'endroit où elle vit désormais.

— Et alors? la presse Misaki dès qu'elles sont assises face à face au centre de la pièce.

L'endroit est suffisamment vaste pour que, à condition de parler bas, on ne puisse pas les entendre, même en se postant derrière une cloison. Misaki a bien planifié la réunion. Yukié se sent indigne de tant de précautions.

— Ce n'est pas facile, Misaki.

— Tu as réussi à attirer son attention, oui ou non ?

— Un peu, oui. Je m'entraîne avec ses gardes maintenant.

Misaki émet un sifflement réprobateur.

— Tsss. Ce n'est pas cela qui nous aidera. Tu dois réussir à être seule avec lui, Yukié. La nuit. Lorsque même ses gardes dorment.

Elle n'ose pas répondre à Misaki que deux gardes montent toujours la garde au bout du couloir menant à la chambre du seigneur, même la nuit. Deux gardes, ce n'est pas beaucoup. En cas de besoin, elle pourrait les éliminer. Cependant, elle préférerait les contourner. Elle commence à les connaître et à les apprécier.

— Je sais, Sœur Aînée, dit-elle. Mais ce n'est pas facile.

Misaki a un petit rire méprisant.

— Pas facile ? Je te demande de lui plaire juste assez pour qu'il te fasse venir dans sa chambre, rien de plus. Tu n'as pas à l'épouser.

Les derniers mots de sa sœur aînée sont amers. Elle l'observe à la dérobée. Misaki a l'air fatiguée. Shûgatsu, son époux, serait-il méchant avec elle ?

— Misaki, est-ce que…

— Ne pose pas de questions dont tu n'aurais que faire des réponses ! coupe Misaki.

Elle se lève.

— J'espère que la prochaine fois que nous nous verrons, tu auras de meilleures nouvelles à m'apprendre.

Elle quitte la pièce si précipitamment que Yukié n'a pas le temps de lui demander des nouvelles de Satô ou d'Ichirô. Ses frères lui manquent, surtout Satô.

QUAND JITOTSU lui a demandé de l'accompagner ce soir, Satô s'est senti soulagé. Depuis sa rencontre avec Kurotani et le samouraï à un seul sabre, Jitotsu n'était plus retourné à la pagode abandonnée. Pendant une douzaine de jours, Satô s'est demandé si la réunion qu'il avait surprise avait marqué la fin de la conspiration. Il en avait été contrarié. L'œuvre de son père serait difficile à accomplir si les Hanaken devaient agir seuls.

Il s'est inquiété pour rien. Ce soir, Jitotsu lui a discrètement demandé de l'accompagner et, à la nuit tombante, ils sont partis vers l'ancien temple. Comme les fois précédentes, Jitotsu l'a laissé sous le pavillon du *kami* avant d'aller s'enfermer dans la pagode. Une chandelle y a aussitôt brillé.

Cette fois, au lieu d'attendre, Satô s'est approché tout de suite de la pagode. Il voulait savoir si Jitotsu avait rejoint sa maîtresse ou les deux samouraïs. Dès qu'il a aperçu les samouraïs, il a rebroussé chemin avec précaution, il s'est installé sous le pavillon, au pied de la statue de Mizugo, et il s'est mis à réfléchir à un moyen d'aborder le sujet de la conspiration avec Jitotsu… Cela lui paraissait plus que délicat. Il devrait lui dire qu'il l'avait espionné…

Au moins une heure s'est écoulée. Satô est toujours sous le pavillon. Cependant, cela ne le dérange pas. Le soir est doux, la lune est belle et il commence à s'habituer à l'atmosphère du temple abandonné et du lac dans lequel il se reflète comme une jeune fille coquette. L'endroit n'est inquiétant que parce qu'il est retiré. On s'y habitue au silence à tel point que le moindre craquement de branche, comme celui qui vient de retentir, fait sursauter et on imagine aussitôt que quelqu'un marche parmi les pruniers.

Au second craquement, Satô comprend que, cette fois, il ne se fait pas d'idée. Quelqu'un marche bel et bien sous les arbres, près du pavillon. Quelqu'un qui sait qu'une réunion secrète se tient à la pagode ou qui le découvrira en voyant la lueur filtrant par ses fenêtres. Si les conspirateurs se sentent en danger et cessent leurs manœuvres, Satô n'aura plus aucun moyen de poursuivre l'œuvre de son père ! Que faire ? Il doit prévenir Jitotsu sans qu'on sache qu'il faisait le guet pour lui…

Sitôt cette pensée formulée, il saute sur ses pieds. Joignant les mains, il se met à supplier Mizugo de veiller sur lui en chantant à tue-tête ses prières.

Il n'a crié que quelques syllabes lorsque, à l'intérieur de la pagode, la chandelle s'éteint. Malgré le vacarme qu'il fait, il entend un bruit de course parmi les pruniers. L'espion, se sachant découvert, a choisi la retraite.

Jitotsu sort en courant de la pagode, *katana* dégainé.

— Que se passe-t-il, Satô ? crie le samouraï en s'approchant.

— On voulait venir déranger vos dévotions, je crois ! répond-il. J'ai entendu marcher sous les pruniers. Alors j'ai prié très fort Mizugo de protéger votre tranquillité !

Jitotsu, quoique visiblement soucieux, ne peut contenir son amusement.

— Très fort, en effet. Je ne sais pas si Mizugo t'a entendu, mais le village entier l'a fait, c'est certain.

Le guerrier glisse son sabre dans son fourreau, mais garde la main sur la poignée.

— Viens, dit-il en entraînant Satô à sa suite. Puisqu'il rôde de drôles de choses ce soir, ne traînons pas. Je ne suis pas sûr que mon *katana* couperait un fantôme.

Satô s'empresse de le suivre, en frissonnant. Il n'avait jamais pensé qu'un fantôme pouvait survivre à un coup de sabre ! Si on ne peut pas compter sur un sabre pour se protéger de tout, à quoi se fiera-t-on ?

Heureusement, il peut sans mal se persuader que quelqu'un qui marche en cassant des branches n'est sans doute pas un esprit immunisé aux coups...

15

SABURO S'AVANCE, l'air mauvais, sabre levé au-dessus de sa tête aux cheveux blancs. Yukié ne sait que faire. Elle a reculé jusqu'à la palissade qui enclôt la cour. Elle est déjà blessée à la cuisse. Le vieux samouraï lui oppose une défense redoutable. Il n'a porté aucun coup décisif, mais plusieurs petits qui l'ont laissée endolorie de partout. Elle boite et son épaule gauche ne répond plus. Elle n'est même pas arrivée à le toucher! Il est essoufflé, il semble lent, mais il devine chacune de ses attaques avant qu'elle les porte.

Elle n'aurait pas dû se laisser acculer. Malgré sa jambe affaiblie, elle aurait dû se déplacer en cercle au lieu de reculer bêtement en ligne droite. Elle sent son talon gauche s'appuyer contre le bois de la palissade. Elle n'a plus de place!

Saburo s'approche en abaissant son sabre. Il va lui ouvrir le crâne! Rapidement, elle lève son arme à la rencontre de la sienne, pour la bloquer avant d'être touchée…

Son sabre ne rencontre que le vide. Saburo a changé son mouvement descendant en une rotation latérale. Pour la troisième fois, l'épée de bois vient percuter violemment la cuisse de Yukié. La douleur éclate sous sa peau.

Elle se mord les lèvres pour ne pas hurler de souffrance, mais elle laisse quand même échapper un petit cri aigu et plaintif. Son genou se dérobe et elle doit lâcher son sabre d'entraînement pour amortir sa chute et éviter de s'étaler à plat ventre dans la poussière de la cour.

La voilà aux pieds de Saburo, le capitaine des gardes du seigneur. Elle n'ose pas lever la tête vers lui. Elle sait ce qu'elle va lire sur son visage : du mépris. Il doit se demander pourquoi le seigneur a permis à une fille de s'entraîner avec ses meilleurs soldats. Elle est trop faible pour être digne de cet honneur. Trois coups de sabre de bois suffisent à la neutraliser.

Elle essaie de se remettre sur ses pieds, mais ses jambes sont récalcitrantes. Elles aimeraient bien qu'on leur donne un peu de repos, car Yukié s'entraîne sans relâche depuis le matin. Saburo l'empoigne par les épaules et la remet debout. Elle jette un coup d'œil furtif à son visage, s'attendant à le découvrir furieux. À sa grande surprise, il lui sourit.

— Tu es coriace, Hanaken ! s'exclame-t-il.

Yamaki, un jeune samouraï qui fait une pause sur une galerie, apostrophe Saburo.

— Elle a tenu plus longtemps que moi, en tout cas ! Encore un peu et tu t'écroulais de fatigue, vieux tigre !

Saburo hausse les épaules.

— Je suis moins solide que vous, les enfants, mais

vous allez devoir apprendre à surveiller un peu mieux vos jambes si vous ne voulez pas les perdre !

Elle profite de l'échange pour ramasser son sabre et se remettre en garde. Saburo le remarque et grogne.

— Ah non, petite, c'est assez pour aujourd'hui. Va te reposer avec Yamaki. Si je frappe encore ta cuisse, tu ne pourras plus marcher.

Sans lui laisser le temps de répondre, le vieux soldat s'éloigne vers la galerie la plus ombragée, en défaisant lentement le cordon qui sert à remonter ses manches de kimono. Il est difficile de dire s'il est vraiment fatigué, comme Yamaki le prétend, ou si c'est son inquiétude pour la santé de Yukié qui le pousse à arrêter l'entraînement.

— Allez, appelle Yamaki, écoute le vieux tigre et viens me rejoindre !

Elle obéit et s'assoit près de lui au bord de l'une des galeries qui encerclent la cour, en balançant dans le vide ses pieds chaussés de sandales. Elle est un peu gênée. Yamaki est à peine plus âgé que son frère Ichirô. C'est le plus jeune des gardes du seigneur. Son père, qui était un garde lui aussi, est mort l'an dernier lors d'une attaque contre la rizière. Yamaki impressionne Yukié. Excellent combattant, il est sérieux et rieur à la fois. Et beau. Son visage rond et ses longs yeux semblent toujours plissés par des restes de sourire. Elle ne sait pas comment agir avec lui. Elle a envie de lui plaire. Préfère-t-il les demoiselles délicates ou les vraies filles de samouraïs ?

— Tu as l'air soucieuse, Hanaken, remarque Yamaki au bout d'un instant.

Que répondre ? Il n'est pas question de lui confier l'objet réel de ses préoccupations.

— J'ai cru que Saburo serait fâché contre moi, dit-elle enfin.

Yamaki rit. Contrairement à Misaki, il n'a pas un rire mauvais. Il s'amuse gentiment de tout, un peu comme Satô.

— Pourquoi ? Tu t'es très bien débrouillée.

— Je ne suis pas arrivée à le toucher.

— Personne ne touche le vieux tigre, Hanaken ! Il a vu plus de batailles que nous n'avons connu de jours d'entraînement.

Elle médite sur cette affirmation. Père lui a parfois dit que les très bons combattants gagnaient simplement en évitant de mourir. Il pensait peut-être à Saburo.

— Peux-tu me montrer quelle est mon erreur lorsque je déplace mes jambes ? demande-t-elle finalement à Yamaki.

Il lui sourit.

— Si tu veux, mais c'est à Shûgatsu que tu devrais le demander.

Le nom du remplaçant de son père la fait grimacer involontairement. Depuis qu'elle s'entraîne avec les gardes, elle l'a évité le plus possible. Lui-même l'ignore superbement, ce qui la ravit. Yamaki remarque sa mimique.

— Je te comprends de ne pas l'aimer beaucoup, mais c'est un professeur compétent. Il pourrait corriger tes défauts de posture… Cela dit, il aurait déjà dû te les faire remarquer.

Le visage de Yamaki s'assombrit un court instant.

— Hum… dit-il. Je vais parler à Shûgatsu. Notre seigneur a demandé à ce que tu t'entraînes avec nous, alors notre nouveau maître d'armes ne peut pas décider de t'ignorer.

— Yamaki, tu es gentil, mais ne dis rien à Shûgatsu, s'il te plaît. Pour l'instant, il m'ignore et me laisse m'entraîner avec vous. Si on le force à me prêter attention, il pourrait très bien décider qu'il ne veut pas enseigner à une fille.

Yamaki la regarde, éberlué.

— Hanaken, comment pourrait-il décider cela ? Tu es ici selon le souhait du seigneur. Shûgatsu le respectera.

La certitude de Yamaki étonne Yukié.

— Ce n'est pas parce que le seigneur souhaite quelque chose que Shûgatsu sera d'accord, Yamaki, dit-elle.

Celui-ci lève un peu le ton pour lui répondre. Visiblement, elle a touché une corde sensible.

— Mais bien sûr que Shûgatsu sera d'accord avec les souhaits de notre seigneur, Hanaken. Et même s'il n'est pas d'accord, il n'oserait pas remettre ses ordres en question. Il n'oserait pas s'élever contre l'autorité du seigneur Takayama. Personne n'oserait ! Seul…

Yamaki s'interrompt tout net au beau milieu de sa tirade.

— Tu allais parler de mon père, n'est-ce pas ?

Elle a deviné, car Yamaki détourne la tête, gêné de la regarder.

— Tous les gardes sont loyaux à Takayama, Hanaken. Personne ne remettra ses idées en question. Il te veut parmi nous, alors nous te faisons une place.

— Pourquoi ?

Elle ne peut pas s'empêcher de poser la question. Yamaki ramène alors son regard sur elle. Ses yeux sont sombres et doux, luisants comme des pierres polies. Il baisse la voix pour lui répondre.

— Parce que tu vaux n'importe lequel d'entre nous au même âge, Hanaken. C'est magnifique de te voir te battre.

Sa voix basse, son regard intense, son corps penché vers elle… Tout cela la met mal à l'aise. Il n'a pas compris sa question. Elle s'écarte un peu de lui.

— Je voulais dire : pourquoi êtes-vous si loyaux à Takayama ?

Yamaki a un ricanement embarrassé.

— Ah… Nous sommes loyaux parce que Takayama est un bon seigneur, je suppose. Très sage. Il préfère que son honneur souffre un peu plutôt que d'envoyer ses samouraïs au massacre.

Elle aimerait comprendre cette opinion, mais il est difficile pour elle de voir de la bonté en Takayama. Chaque fois qu'elle s'y essaie, elle se rappelle le sang de ses parents, répandu sur la terre de la grande place…

— Une guerre va peut-être éclater, Hanaken, continue Yamaki. Tu sais que nous nous battons depuis longtemps pour une rizière, n'est-ce pas ? Eh bien, notre seigneur, au lieu de simplement se battre avec Gokoro et de risquer la vie de ses samouraïs, l'a invité à négocier avec lui. C'est très sage. Bientôt, Gokoro va nous envoyer un messager avec une proposition d'entente pour régler le sort de cette rizière. Si sa proposition est bonne, nous aurons fini de nous battre.

Yamaki se tait, le regard grave et vide. Yukié a perçu le doute dans sa voix.

— Tu ne crois pas que la proposition sera bonne, Yamaki ?

Il secoue la tête.

— Non, je crois que Gokoro veut la guerre.

Il s'étire comme un chat et bâille. Dans la cour surchauffée par le soleil du midi, les autres gardes terminent leur entraînement. Bientôt, ils vont tous se précipiter vers le pavillon de bain pour laver la poussière, la sueur et la fatigue.

— Au moins, ajoute Yamaki, notre seigneur aura tout fait pour éviter le conflit.

Il saute en bas de la galerie et lui tend la main.

— Viens, nous serons les premiers dans le bain.

Son sourire la fait rougir. D'habitude, cela ne la dérange pas de partager le grand bain avec des hommes. C'est normal après tout. On prend un bain pour se détendre, non pour déranger les autres ou les regarder. Cependant, aujourd'hui, imaginer Yamaki dans l'eau, près d'elle, cela la gêne. Elle pense à ce qu'il a dit. « C'est magnifique de te voir te battre ».

— J'irai plus tard, lui dit-elle. Je vais laisser ma jambe reposer encore un peu avant de la plonger dans l'eau chaude.

Il a l'air déçu.

— À demain matin alors.

Il s'éloigne sans se retourner. Elle aimerait le rattraper. Elle a envie d'être près de lui, sur cette galerie ou dans l'eau du bain. En même temps, elle est contente de rester seule. Elle peut penser au compliment de Yamaki. Et à ses yeux qui se plissent lorsqu'il sourit.

16

POUR SATÔ, C'EST LE MOMENT ou jamais de parler à Jitotsu. L'entraînement de ce matin s'est bien déroulé et le samouraï est de belle humeur. Son épouse et Nanashi étant partis au temple pour la journée, Jitotsu et Satô se trouvent seuls sur la galerie arrière, à profiter de la chaleur de cette journée d'été, à boire du thé d'orge froid et à grignoter des boules de riz farcies de pâte de soya salée. Satô doit dire à Jitotsu ce qu'il sait à propos de la conspiration.

Il retourne plusieurs formulations dans sa tête. Parler de la conspiration? Des idées de Misaki? Demander pourquoi son père en voulait au seigneur? Il mange une autre boule de riz. Ses préoccupations doivent être visibles sur son visage ou dans sa posture, car Jitotsu le regarde bizarrement entre deux gorgées de thé. Le riz a du mal à passer dans son gosier. Que dire? Comment aborder le sujet? Il se pose tellement de questions.

Jitotsu a cessé de boire et le fixe. Pourquoi le samouraï rencontre-t-il sa maîtresse et les conspirateurs au même endroit ? Pour brouiller les pistes ? Et…

— Qui était le samouraï à un sabre avec Kurotani ?

La question a échappé à Satô, comme si sa tête contenait trop d'interrogations à la fois et que celle-là venait de tomber par sa bouche ouverte.

Il a tout juste le temps de se dire que c'est une entrée en matière comme une autre avant de voir Jitotsu bondir sur ses pieds, son *wakizashi* déjà à demi dégainé. Le guerrier a l'air si furieux que Satô n'hésite pas : roulant au milieu des bols de riz et du service à thé, il se laisse tomber en bas de la galerie, hors de portée du sabre de Jitotsu.

— Jitotsu, calme-toi, lui dit-il une fois en lieu sûr.

— Tu m'as espionné, traître ! crache l'autre.

Jitotsu saute à son tour en bas de la galerie. Ses genoux, plus vieux et moins souples que ceux du garçon, plient un peu trop à l'atterrissage, ce qui donne amplement le temps à Satô de s'éloigner.

— Je ne suis pas plus traître que vous !

S'il espérait calmer Jitotsu avec cette réponse, c'est raté. Il faut dire que ce n'était pas son idée la plus brillante. Sabre brandi au-dessus de la tête, Jitotsu fonce sur lui. Satô n'a même pas son sabre de bois avec lui. Impossible de parer les coups. Il peut tenter de les éviter, mais, à ce jeu-là, une erreur lui sera fatale.

Il est heureusement difficile de frapper un adversaire qui se contente de fuir. Le premier coup de Jitotsu siffle dans l'air avant de s'enfoncer dans le sol. Il frappe comme un enragé. S'il touche Satô, il le coupera en deux !

Satô s'éloigne encore de la demeure. Il sait cependant qu'il ne pourra pas aller bien loin. Encore quelques dizaines de mètres et il sera coincé par la palissade entourant le jardin de la maison adjacente. Il doit trouver un moyen de calmer Jitotsu. Et sans crier, cette fois. Ils sont à portée de voix de la demeure voisine.

Il laisse Jitotsu s'approcher. Il le regarde et essaie d'avoir l'air le plus calme possible. Il lève les mains devant lui, paumes ouvertes. C'est le geste d'un samouraï qui se rend et qui demande qu'on lui accorde le temps de se faire *seppuku*. Par réflexe, Jitotsu suspend le coup qu'il allait porter.

— Si j'avais voulu vous trahir, Jitotsu, j'aurais parlé à votre femme de votre maîtresse. Ou je serais allé voir le seigneur.

Le sabre de Jitotsu oscille. Satô sent la sueur dégouliner sous ses aisselles et dans son dos. S'il ne convainc pas Jitotsu, il est mort.

— Vous pouvez me faire confiance, Jitotsu. Comme vous avez fait confiance à mon père.

La mention de son père lui sauve la vie. Le sabre, qui s'était levé à nouveau, est brusquement remis au fourreau. Jitotsu se détourne et marche vers sa demeure.

— Viens, nous allons parler de tout ça, lance-t-il par-dessus son épaule.

Satô obéit avec empressement. Ils reprennent place sur la galerie, parmi les bols renversés et les tasses brisées. Jitotsu balaie la majeure partie des débris du revers de la main, puis il entre dans la maison. Il en revient quelques minutes plus tard avec un flacon de *saké* et une petite tasse. Il la remplit et la tend à Satô avant de prendre une lampée à même la bouteille.

Satô trempe prudemment ses lèvres dans l'alcool. Il en a déjà bu quelques gorgées auparavant, aussi n'est-il pas surpris lorsque le liquide, d'abord doux sur sa langue, brûle un peu sa gorge. Le *saké* est une boisson précieuse, assez coûteuse à produire, qu'on utilise dans les mariages, les baptêmes, les cérémonies religieuses. Partager du *saké* avec quelqu'un, c'est tisser un lien avec cette personne. En cet instant, Jitotsu semble donc vouloir lier sa vie à celle de Satô.

— Que sais-tu, Satô ? lui demande Jitotsu après une seconde gorgée de *saké*.

Il donnerait normalement une réponse facétieuse à une question aussi imprécise, mais l'heure n'est pas aux plaisanteries.

— Nous savons que Père devait vous avoir parlé de son projet de trahir le seigneur, Jitotsu. Nous voulons prendre sa relève et vous aider, vous et les autres conspirateurs.

— Quand tu dis nous, tu veux dire…

— Tous les jeunes Hanaken. Misaki, Ichirô, Yukié et moi.

— Et pourquoi voudriez-vous renverser le seigneur ?

— Parce que notre père pensait que c'était la chose à faire.

— Cela vous suffit comme raison, Satô ?

La question l'étonne. Évidemment que c'est une raison suffisante. Pourquoi douteraient-ils du jugement de leur père ? C'était un homme intelligent, un colosse, le meilleur guerrier du village. Il avait toujours semblé être un modèle de sagesse… Et seuls les enfants mal élevés questionnent les jugements de leurs parents ! Toutefois, il est vrai qu'il reste à Satô quelques interrogations…

— Nous comptions sur vous et les autres pour nous expliquer les motifs exacts de notre père, Jitotsu. Mais j'étais chargé, si je m'apercevais que vous faisiez partie des conspirateurs, de vous assurer que nous sommes tous prêts à vous aider.

Jitotsu hoche la tête.

— Voilà qui fera plaisir à Kurotani et à Matsu...

Satô comprend que Jitotsu lui fait enfin confiance lorsqu'il prononce ce nom qui lui est inconnu et qui doit désigner le samouraï à un seul sabre.

— Depuis le suicide de ton père, Satô, ceux qui conspiraient avec lui sont désemparés. J'ai essayé de jouer son rôle, mais je n'ai pas son rang... Le nom de Jitotsu n'est pas aussi renommé que celui des Hanaken. Or, si toi et ton frère vous ralliez à nous... Cela va leur remonter le moral. Nous pourrons faire une autre tentative.

Jitotsu prend une autre gorgée de *saké* et ricane.

— Après tout, nous n'avons pas grand-chose à craindre même si nous échouons.

— Pas grand-chose ?

Voilà qui est étonnant. Père a échoué et il en est mort.

— Ton père a tenté de frapper le seigneur dans le dos alors qu'il chassait et Takayama lui a proposé de s'exiler, Satô ! Il aurait pu le torturer pour lui arracher les noms de ses complices, puis le pendre comme un paysan, mais non, il lui a laissé la possibilité de partir en exil.

Satô se sent étourdi. L'exil ? Le seigneur aurait donné la possibilité à son père de rester en vie ? Mais...

— Pourquoi ne s'est-il pas exilé ?

Jitotsu lui répond d'un claquement de langue méprisant.

— Et vivre dans la honte ? Dans le déshonneur ? Traîner le nom des Hanaken dans la boue ? Réfléchis un peu, Satô ! Être le fils d'un traître n'est déjà pas plaisant. Mais comment auriez-vous vécu si vous aviez été les enfants d'un mercenaire ? Un homme qui aurait traîné son sabre de guerre en guerre, dans l'espoir de trouver un seigneur assez désespéré pour l'engager le temps de quelques batailles ? Non, ton père et ta mère ont choisi la seule voie honorable. En mourant, ils vous ont laissé une chance de bien vivre... et même de poursuivre leur œuvre.

Une autre gorgée de *saké* lave les propos amers de Jitotsu. Il doit commencer à être un peu ivre, mais cela ne se voit pas.

— Takayama n'aurait pas dû parler d'exil à ton père. Il ne devrait pas non plus laisser traîner le conflit avec Gokoro au sujet de la rizière. Ses délicatesses et ses sensibleries sont risibles. À force de vouloir épargner des vies, il passe pour un faible. Or, nous ne pouvons pas nous permettre d'avoir un seigneur faible. Cela finira par attirer sur nous l'attention d'un seigneur voisin avide d'agrandir son fief !

Satô entend au loin la voix de Nanashi. Il approche de la maison et, comme souvent lorsqu'il revient du temple, il n'arrête plus de jacasser. Il est temps de conclure cette conversation. Jitotsu l'a compris aussi. Il avale d'un trait le reste du flacon de *saké*. Satô vide sa tasse.

— Le prochain seigneur ne sera pas faible, crois-moi ! lance Jitotsu en entrant dans la maison pour aller y ranger le flacon vide et la tasse.

Satô ne sait pas trop ce que cela signifie. Jitotsu pense-t-il pouvoir prendre la place du seigneur une fois que les conspirateurs l'auront renversé ? Voilà qui ne plaira ni à Ichirô, ni à Misaki...

17

LE SEIGNEUR A DÉCRÉTÉ ce matin qu'il remplaçait l'entraînement par un concours de vitesse dans l'art de dégainer. Il a cependant donné de bien curieuses règles à son épreuve. D'abord, le sabre à dégainer n'est pas un *katana*, mais un *wakizashi*. De plus, celui-ci est posé sur le sol, devant les guerriers agenouillés, au lieu d'être passé à leur ceinture. Le melon qui sert de cible, quant à lui, est situé à la droite des participants, assez loin devant eux, alors qu'il devrait normalement se trouver juste en face.

Les gardes semblent un peu perturbés par ces règles. Le regard du seigneur, qui pèse sur eux depuis la galerie où il a pris place, n'arrange pas les choses. Chacun veut bien paraître. Cela rend les mouvements gauches et les mains tremblantes.

Yukié observe la technique des gardes. La plupart s'emparent du sabre et le ramènent près d'eux avant de le dégainer. Elle les juge avec sévérité : ils perdent du temps. Père ne serait pas fier d'eux.

Yamaki, Saburo et quelques autres agissent plus judicieusement, s'emparant du sabre et le dégainant au vol, tout en se déplaçant déjà vers leur cible. Les vieux genoux de Saburo lui nuisent. Il met trop de temps à les déplier. Yamaki est plus rapide que lui... par un battement d'aile de colibri.

Yukié s'exécute en dernier, comme il sied au plus jeune participant d'un concours. Shûgatsu, le nouveau maître d'armes, place le *wakizashi* devant elle et pique un nouveau melon sur le bâton planté dans le sol de la cour. L'odeur sucrée du melon imprègne les lieux, car chaque garde a tranché le sien et le mange à présent, assis à l'ombre des galeries. En la regardant.

Elle n'est pas nerveuse. Yamaki a dégainé tellement vite qu'elle sait qu'elle ne pourra pas l'égaler. Elle a simplement envie de faire honneur à son père en offrant une belle performance. Après tout, l'art de dégainer était l'une de ses disciplines préférées.

Shûgatsu lève l'éventail qui lui sert à signaler les mouvements de troupe durant les batailles. Yukié ne l'observe que du coin de l'œil. Son regard est dirigé droit devant elle, ce qui lui permet de garder le *wakizashi*, Shûgatsu et son melon-cible dans son champ de vision.

L'éventail s'abaisse. Les mains de Yukié descendent vers son sabre tandis qu'elle se lève sur un genou. Sa main gauche saisit le fourreau, la droite s'empare de la poignée, elle tire dans deux directions opposées pour dégager la lame tout en se fendant vers la droite, vers le melon. La lame tout juste dégagée y tranche une fine ligne qui se dessine en rose contre l'écorce verte.

Quelques exclamations appréciatrices se font entendre. Yukié est fière d'elle-même. Elle a parfaitement exécuté le mouvement. On la salue de la tête. Elle s'incline bien bas en retour. Elle rengaine le *wakizashi* et le replace, ramasse son melon, puis va s'asseoir sur la galerie. Là, dans l'ombre fraîche, elle déchire l'écorce qui retenait encore ensemble les deux moitiés du fruit et y mord avec appétit. Quelques gouttes de jus sucré coulent sur son menton. Elle les essuie du bout des doigts et les lèche. Quel délice !

Le seigneur Takayama annonce le gagnant du jour. Sans surprise, il s'agit de Yamaki.

— Lorsque nous recevrons l'envoyé de Gokoro, te tiendras au premier rang de mes samouraïs, Yamaki lui lance le seigneur.

Yamaki s'agenouille pour remercier le seigneur la confiance qui lui est accordée. En se relevant, Yu remarque qu'il lui lance un regard en coin. Étran Pourquoi se préoccupe-t-il d'elle dans un mom pareil ? Elle espère qu'il n'a pas attrapé la maladie Misaki et qu'il ne pense pas à des histoires de maria Elle l'aime bien, mais il ne faut rien exagérer !

Après avoir récompensé Yamaki, le seign s'adresse à Yukié, d'une voix assez forte pour vrir les murmures des gardes qui félicitent leur je compagnon.

— Hanaken, fait-il, tu as mérité une place hon ble toi aussi. Lorsque je recevrai l'envoyé, tu seras de moi et tu serviras le *saké*.

Tous les gardes la regardent. Muette d'hoi Yukié incline la tête pour cacher ses joues roug honte. Les larmes lui montent aux yeux. Servir le est le rôle des épouses ou des concubines. Une jeun

pourrait se sentir flattée d'obtenir une telle place. Une jeune fille. Pas une combattante.

Dès que Takayama se détourne pour parler à Saburo, Yukié quitte la cour, abandonnant son melon à peine entamé. Elle sent que certains hommes la suivent des yeux. Elle ne veut pas savoir ce qu'ils pensent.

18

SATÔ CROYAIT QUE l'ancien temple était un endroit inquiétant, jusqu'à ce que son frère décide, à l'entraînement de ce matin, de lui fixer rendez-vous dans le cimetière du village. À présent qu'il marche au milieu des morts, il ne peut pas imaginer pire. Ou plutôt si, c'est cela le problème : il peut très bien imaginer les fantômes des morts rassemblés derrière lui, prêts à lui sauter dessus... Ou alors il pense à des défunts auxquels leur famille n'offre pas de nourriture et qui s'apprêtent, affamés, à surgir de la terre et à le dévorer vivant... Il a volé un bâtonnet d'encens sur l'autel familial de Jitotsu et il s'y accroche comme si sa vie en dépendait, car il paraît que la fumée de l'encens chasse les fantômes. Alors, il agite le bâtonnet en tournant sur lui-même. Comment être sûr que la fumée l'entoure complètement et qu'aucun fantôme ne peut se glisser dans son dos ?

Il a trop d'imagination. Son frère tarde.

Il déteste les cimetières.

Au premier craquement de branche, il sursaute violemment et se tourne vers le bruit, une main sur la poignée de son sabre, l'encens brandi dans l'autre. Le rire d'Ichirô retentit alors, tandis que sa silhouette se découpe entre deux tombes, sur fond de ciel étoilé.

— Te voilà bien nerveux, petit frère. Si nos sœurs te voyaient…

Ichirô joue les braves, mais Satô se rend compte qu'il est presque aussi effrayé que lui. L'aîné regarde sans cesse par-dessus son épaule.

— Alors, continue Ichirô, as-tu appris quelque chose ?

Rapidement, Satô lui résume les rencontres de Jitotsu avec Matsu et Kurotani, ainsi que leur affrontement de la veille. Lorsqu'il explique qu'il a assuré Jitotsu de l'aide des Hanaken, son frère semble satisfait. Il y a cependant un détail qui chicote Satô.

— Ichirô, Jitotsu m'a dit que le seigneur avait offert à notre père de s'exiler.

Ichirô hausse les épaules.

— Et alors ?

— Hé bien… Tu n'aurais pas préféré qu'il choisisse de vivre ?

— Pour qu'il nous traîne sur les routes avec lui ? Pour que nous devenions des samouraïs sans maître ? Des guerriers à un seul sabre ? Pour que même les paysans rient de nos kimonos troués par l'usure ? Non. Notre père a fait un bon choix. Il a préservé notre rang et notre position. Il s'est sacrifié pour nous.

Un bon choix. Satô regarde Ichirô. Il porte les sabres de leur père et l'un de ses kimonos. Il dort dans la chambre de leur père, dans la maison de leur père, avec une jeune et jolie épouse à côté de lui. Il est l'héritier. Il aurait beaucoup perdu s'ils étaient partis en exil. Mais qu'est-ce que Satô a gagné à la mort de leur père ? Une chambre chez un homme qui a voulu lui couper la tête hier. Un homme qui pense pouvoir lui enseigner à se battre, mais qui croit aussi qu'en s'enfonçant les orteils dans le sable et en se raclant la gorge, il deviendra plus puissant. Pour la première fois de sa vie, Satô a envie de cracher au visage de son frère.

— J'aurais préféré qu'il vive ! dit-il dans un souffle.

Il ne sait pas si c'est la colère ou la peine qui lui serre la gorge. De toute façon, Ichirô ne semble pas se soucier de son intonation. L'aîné s'éloigne déjà, pressé de regagner sa maison.

— Pense ce que tu veux, mais c'était sa décision. Si tu l'aimes tant, aide-moi à accomplir son œuvre. Hanaken redeviendra synonyme de puissance, tu verras !

Satô acquiesce, mais il est inquiet. Jitotsu et Ichirô rêvent tous les deux de la puissance actuellement détenue par le seigneur Takayama. Sauf qu'il ne peut y avoir plus d'un seigneur par fief…

Dès que son frère est hors de vue, il quitte le cimetière. En s'efforçant de ne pas courir.

19

LES HABITANTS DU VILLAGE ont été avertis de la présence de l'envoyé du seigneur Gokoro la veille de son arrivée, dès qu'il a traversé la frontière du fief. Aussitôt, une lourde impatience a commencé à planer sur la maisonnée du seigneur Takayama. Des gardes se sont querellés, des servantes se sont griffées et Dame Akiko s'est enfermée dans sa chambre.

Il tarde à Yukié de voir arriver l'envoyé. Son rôle de serveuse de *saké* lui fait horreur, mais elle assistera pour la première fois à une audience seigneuriale et elle est très curieuse d'en observer le déroulement.

Elle n'a plus que quelques instants à attendre. Des éclaireurs ont signalé l'arrivée de l'envoyé et de son escorte à la lisière du village. Elle a donc pris son poste, au fond de la salle de réception, entre la table où est posé le *saké* et le coussin où Takayama s'assoira. Face à elle, une longue allée mène jusqu'aux portes de la salle. De chaque côté de cette allée, des gardes ont pris place sur les *tatamis*. Il y en a douze en tout. Tous portent uniquement leur *wakizashi* à la ceinture, car les sabres longs sont toujours laissés à l'entrée des demeures. De toute façon, lorsqu'il faut se battre dans des petites pièces, les *wakizashi* sont plus efficaces.

Les portes de la salle s'ouvrent. Un samouraï paré d'un magnifique kimono de soie bleue fait son entrée, accompagné de quatre autres guerriers, vêtus d'étoffes de coton plus ordinaires. L'envoyé et son escorte. Ils ont leurs *wakizashis* à la ceinture, mais leurs mains restent loin des poignées de leurs armes. Ils ne semblent pas agressifs. Yukié s'incline pour les saluer, comme tous les gardes présents. Les arrivants saluent à leur tour et s'avancent. L'envoyé retire son *wakizashi* de sa ceinture et le pose sur le sol près de lui avant de prendre place sur le coussin placé devant celui qui attend Takayama. Yukié est satisfaite de voir qu'il agit en accord avec la coutume : on ne parle pas à un seigneur avec des armes à la ceinture. L'escorte de l'envoyé s'assoit quelques pas derrière lui.

Yukié entend une porte coulisser dans son dos. Elle devine, en voyant les gardes s'incliner, que Takayama vient d'entrer. Du coin de l'œil, elle le voit retirer son *wakizashi* de sa ceinture et s'asseoir sur son coussin, juste à sa droite. C'est alors que, d'un geste négligent, le seigneur dépose son *wakizashi* et le pousse loin de lui... jusque devant les genoux de Yukié.

Elle sent son souffle se bloquer dans sa gorge et l'étrangler. Le sabre est placé devant elle exactement comme durant le concours de vitesse... et l'envoyé se tient à la place du melon ! Elle tousse dans sa manche pour cacher sa surprise. Heureusement, les deux hommes ont commencé à parler et le seigneur n'a rien remarqué.

Elle verse deux tasses de *saké*, qu'elle leur présente avec respect. Takayama et l'envoyé trinquent. Ils parlent ensuite quelques instants de tout et de rien.

— Pouvez-vous me dire quelle est la réponse de Gokoro à ma proposition? demande enfin Takayama.

L'envoyé acquiesce.

— Puisqu'elle est complexe, mon seigneur a préféré l'écrire. Je l'ai ici.

En disant ces mots, l'homme glisse lentement la main dans sa manche, comme pour y prendre un papier. Yukié pressent aussitôt le danger. Elle sait très bien qu'on peut cacher beaucoup de choses dans une manche.

Mine de rien, sans quitter l'envoyé des yeux, elle fait passer son poids sur son genou gauche et se prépare à bondir. Dans un instant, la main de l'envoyé va réapparaître. Que tiendra-t-elle? Un bout de papier ou une lame d'acier? Yukié sent que tous les gardes du seigneur se sont tendus eux aussi. Malheureusement, ils sont trop loin pour réagir. Et si l'un d'entre eux demande à l'envoyé de lui donner le papier afin qu'il le remette au seigneur, cela sera considéré comme une insulte et mettra fin aux négociations. Seule Yukié, sous couvert de son rôle de jeune fille inoffensive, a une chance d'agir.

La main de l'envoyé surgit des replis de l'étoffe. Elle tient bel et bien un bout de papier, mais elle est refermée autour de lui comme autour du manche d'un poignard. L'œil de Yukié devine un éclat d'acier sous la feuille blanche. Sans plus penser, elle laisse ses mains agir. La gauche tire sur le fourreau, la droite dégaine la lame, elle se fend en direction du messager, la pointe du *wakizashi* rencontre une brève résistance… Sa manche et ses cheveux tombent comme un rideau entre l'envoyé

et le seigneur, rideau dans lequel le poignard ennemi se perd.

Un instant, tout semble suspendu. Elle reste là, au centre de l'attention de tous, son corps étiré, déployé dans le prolongement du sabre dont la pointe est tachée de sang. Puis les événements s'emballent. Le sang de l'envoyé jaillit et l'asperge tandis que le corps s'écroule en avant. Les samouraïs de l'escorte dégainent leurs épées, mais les gardes du seigneur se jettent sur eux. Takayama se lève d'un bond et, par précaution, tire un poignard de sa manche. On se bat autour de Yukié.

Elle s'accroche au *wakizashi* et elle tente de se lever, mais ses jambes refusent de bouger. Avec sa manche, elle essuie le sang qui lui a éclaboussé le visage. Les samouraïs qui escortaient l'envoyé succombent rapidement, mais avec courage, emportant avec eux deux des gardes du seigneur. Le sang sur son kimono paraît à Yukié aussi lourd que du plomb fondu. C'est lui qui l'empêche de se relever et de participer au combat comme elle le devrait.

L'affrontement se termine sans elle. Yamaki vient l'aider à se redresser. Il lui sourit. Elle vient de sauver la vie de leur seigneur. Le sauver, alors que sa famille voudrait qu'elle l'assassine.

Elle a tué un homme. C'est une chose que tous les samouraïs font un jour ou l'autre.

Alors pourquoi a-t-elle envie de vomir ?

20

— Tous les cinq ? Yukié les a tués tous les cinq ?

Nanashi éclate de rire.

— Mais non, voyons, Satô ! Ta sœur n'aurait pas pu tuer cinq samouraïs !

— Venant d'elle, je m'attends à tout !

Le garçon rit à nouveau, puis s'assure qu'aucun de ses parents n'est aux alentours. Précaution inutile : ils sont tous partis chez une autre famille de samouraïs pour assister à une cérémonie du thé. Satô et Nanashi sont seuls dans le jardin de la demeure.

— La femme de l'un des gardes a dit à ma mère que Yukié servait le *saké* pour le seigneur et le messager lorsque ce dernier a fait un mouvement brusque. Ta sœur s'est emparée du *wakizashi* du seigneur, l'a dégainé et a ouvert la gorge de l'envoyé avant qu'il puisse finir de sortir son poignard de sa manche.

Satô sent son cœur se gonfler de fierté. Dégainer rapidement a toujours occupé une grande place dans l'art de combattre des Hanaken. Par son exploit, Yukié fait honneur à leur nom.

— Ensuite, poursuit Nanashi, elle est restée devant le seigneur, manches déployées pour lui éviter d'être éclaboussé de sang tandis que les gardes tuaient l'escorte de l'envoyé. Ils n'ont pas eu le droit de se faire *seppuku*. Ils ont été découpés en morceaux comme des bœufs de boucherie et le seigneur va les renvoyer à Gokoro dans des paniers pour lui montrer ce qu'il pense de ceux qui envoient des assassins lorsqu'on lui demande des messagers.

L'image des corps ennemis taillés en morceaux et empilés dans des paniers dérange moins Satô que celle de sa sœur, sabre à la main et manches déployées, s'interposant entre le seigneur Takayama et la moindre goutte de sang qui aurait pu le souiller. Il ne peut comprendre pourquoi elle a défendu le seigneur. C'était une excellente façon de gagner sa confiance, certes, mais sa mort aurait été encore plus utile. Et pourquoi le protéger avec autant de zèle ? Commence-t-elle à douter ? Voudrait-elle renoncer à la mission que Misaki et Ichirô lui ont confiée ?

Satô aimerait être irrité contre elle à cette pensée, mais il comprend… un peu. Jitotsu a failli le tuer l'autre jour. S'il avait su que le samouraï réagirait ainsi, il aurait sans doute hésité à lui parler. On lui a appris à ne pas craindre la mort, mais il a l'impression qu'il est un mauvais samouraï, car il a envie de vivre. Et de vivre vieux. Ce qu'on a demandé à Yukié est beaucoup plus dangereux que de parler de rendez-vous nocturnes avec Jitotsu. Satô essaie de se dire que s'il était à la place de sa sœur, il n'hésiterait pas… mais il sent que c'est faux. Cependant, c'est le devoir de Yukié envers leur famille. Elle doit l'accomplir, comme Satô a accompli le sien.

Une brise légère vient rafraîchir la nuque de Satô, soufflant vers lui le parfum des cerisiers en fleur. Il aime vivre. Il sourit à Nanashi qui le regarde bizarrement. Satô devine qu'il doit avoir froncé les sourcils en réfléchissant.

— Ma tête a l'air d'une vieille prune plissée? dit-il.

— Elle en a eu l'air, oui! répond Nanashi en s'esclaffant. Aurais-je dit quelque chose qu'il ne fallait pas à propos de votre illustre sœur, maître d'armes?

C'est au tour de Satô de s'amuser de cette politesse exagérée.

— En effet, vilain garçon. Et nous allons régler ça… par un duel!

Il lance son sabre d'entraînement à Nanashi qui l'attrape habilement malgré sa surprise devant l'utilisation du mot « duel ». Jusqu'ici, Nanashi ne s'est jamais entraîné au combat. Satô lui faisait simplement pratiquer des coups dans le vide. Cependant, le garçon est prêt pour commencer à s'exercer dans le cadre d'un affrontement amical. Nanashi écarquille les yeux lorsque Satô s'empare du sabre d'entraînement de Jitotsu, qu'il avait dissimulé sous la galerie. Satô se place devant son ami, en garde. Nanashi devient tout pâle et se met à frissonner.

— Je… je ne sais pas faire ça, Satô, murmure-t-il.

— Et tu crois que c'est en tremblant comme un lapin que tu vas apprendre? lui lance Satô en retroussant la lèvre supérieure pour mimer des grandes dents.

Ces folies rassurent Nanashi. Il reprend des couleurs. Heureusement! Satô n'aurait pas su quoi faire s'il s'était évanoui. Surtout qu'il ne pourrait pas vraiment appeler un adulte à l'aide… Se retrouver à vivre au monastère ne le tente pas du tout ! Il commence à expliquer l'exercice à Nanashi. Il doit se déplacer en restant assez près de Satô pour pouvoir s'avancer et l'atteindre de son sabre, mais assez loin pour que Satô doive bouger lui aussi pour frapper. Ensuite, Nanashi doit repérer les ouvertures dans la garde de son adversaire. Frapper bas s'il lève les bras. Frapper haut s'il les baisse… Parer les coups comme il l'a appris…

Le reste de l'après-midi disparaît entre deux chocs de sabres. Nanashi est effrayé, lent et maladroit, mais Satô est fier de lui. Le garçon tient fermement son sabre et il a bien maîtrisé la technique des coups et des parades. De plus, sa façon de bouger à l'envers de tous les samouraïs que Satô connaît, en présentant son côté gauche à l'avant plutôt que le droit, est très déroutante. Encore quelques semaines de pratique, le temps d'acquérir un peu plus de confiance en lui, et Nanashi pourrait aller s'entraîner avec les garçons les plus jeunes du village… Sauf qu'il n'est pas question que Satô le lui dise. Pas avant d'avoir convaincu Ichirô qu'entraîner Nanashi n'est pas une perte de temps… Et il ne sait pas du tout comment il y parviendra !

21

L'UNE DES SERVANTES de Dame Akiko est venue réveiller Yukié ce matin et elle l'a amenée aux bains. Une fois dans le petit pavillon, la servante l'a frictionnée au savon et rincée à l'eau froide. À cause de sa présence, Yukié a résisté à l'envie de frotter sa peau encore et encore. Depuis deux jours, elle a l'impression qu'elle n'arrive pas à se laver du sang de l'homme qu'elle a tué. Elle le voit partout. Cependant, la servante n'est pas victime des mêmes illusions. Après avoir nettoyé Yukié, elle l'a fait entrer dans le bassin d'eau chaude et lui a massé les épaules pour l'aider à se détendre. Personne n'a jamais manifesté autant de prévenance à l'égard de Yukié, mais elle a un vague souvenir d'avoir déjà vu Mère chouchouter ainsi Misaki.

Après le bain, la servante aide Yukié à revêtir un curieux kimono de cérémonie. Coupé dans une soie légère et chatoyante, verte comme une tendre herbe d'été, il a de larges manches flottantes brodées de fleurs de cerisier. Un lourd *hakama* de brocart vert foncé lui est assorti. C'est un habit à mi-chemin entre celui des hommes et celui des femmes. Un vrai kimono de guerrière. La servante lui confie qu'il s'agit d'un cadeau de Dame Akiko. La dernière fois que Yukié a vu un tel kimono, il était porté par l'acteur qui jouait Tomoé Gozen. Se parer d'un vêtement semblable l'emplit de fierté… même si elle sait que c'est un peu ridicule d'éprouver tant de bonheur à cause d'une pièce de tissu, fut-elle jolie.

Lorsqu'elle ressort du pavillon des bains, Yukié s'aperçoit tout de suite que l'ambiance de la maison du seigneur a changé. Elle entend des murmures de voix derrière toutes les cloisons et elle croise des servantes qui courent, affairées. Alors qu'elle en arrête une pour lui demander ce qui se passe, une voix l'apostrophe.

— Yukié ?

Elle se retourne et se retrouve face à Yamaki. Son visage fait pour sourire arbore une expression grave et sérieuse qui ne lui va pas. On dirait un autre homme.

— Que se passe-t-il, Yamaki ?

Il s'incline devant elle, très formel.

— Je te cherchais. Le seigneur désire te voir.

— Pourquoi tant de manières ? Conduis-moi, je te suis.

Il lui sourit. Il a toujours l'air préoccupé, mais du moins est-il redevenu le samouraï qu'elle connaît. Ses yeux semblent errer parmi les motifs des manches de son kimono tandis qu'il lui parle. Elle se demande s'il la trouve jolie.

— Excuse-moi… La situation est délicate…

Elle ne comprend pas ce qu'il veut dire, mais

lorsqu'il se dirige vers le bâtiment central de la maisonnée, elle lui emboîte le pas. En le voyant s'agenouiller pour ouvrir la porte de la salle de réception, elle a un instant d'hésitation. Elle n'a pas tellement envie de retourner dans cette pièce. Dans son souvenir, les *tatamis* y sont gorgés de sang...

La porte coulisse. La salle est pleine. Tous les samouraïs du village semblent y être rassemblés, assis à même des *tatamis* neufs, le long de l'allée centrale bordée par les gardes du seigneur. Au fond de la pièce, face à la porte ouverte, Takayama a pris place sur un coussin de soie et semble attendre.

Tous les yeux se tournent vers Yukié et la fixent. Elle a chaud. Elle a envie de tourner les talons et de s'enfuir. Yamaki lui fait un signe de tête. Elle doit s'avancer. Elle a peur de ne pas y arriver. Elle ne peut croire que tous ces samouraïs sont rassemblés en son honneur! La pensée la flatte et la terrorise tout à la fois.

Elle arrive finalement à pénétrer dans la pièce. Une fois entrée, elle salue comme le font les guerriers, en mettant seulement le genou gauche et la main gauche au sol, tête inclinée, prête à bondir rapidement sur ses pieds. Elle entend quelques murmures étonnés. Ce salut est audacieux de sa part. Si le seigneur lui refuse le privilège de le saluer ainsi, il restera silencieux. Alors, elle posera son genou droit au sol et elle s'inclinera bien bas, comme le font les femmes. Ce sera humiliant, mais...

— Avance, Yukié.

Elle se redresse et obéit. Tout le village sait maintenant que le seigneur la considère comme l'un de ses guerriers. Père serait fier d'elle.

Parvenue devant le seigneur, elle s'agenouille à nouveau, complètement cette fois, et elle s'incline.

— Un samouraï ne doit jamais hésiter à risquer sa vie pour son seigneur et il ne doit jamais attendre de récompense lorsqu'il le fait, car là est son devoir, énonce Takayama d'une voix forte.

Yukié ne relève pas la tête. Elle essaie de ne pas ressentir d'impatience ou de curiosité, mais elle sait bien que le seigneur n'a pas rassemblé tous ses samouraïs pour leur débiter des vérités qu'ils connaissent déjà. Malgré ce qu'il vient de dire, il va la récompenser.

— Cependant, il est également du devoir d'un seigneur de s'assurer que ses samouraïs ont des rangs qui correspondent à leur bravoure et à leur loyauté. Yukié, de la lignée des Hanaken, a prouvé qu'elle n'était plus une petite fille, mais bien une guerrière. Elle mérite d'être armée comme telle.

Toujours agenouillée, Yukié se redresse et voit Saburo s'avancer. Le vieux tigre tend deux sabres au seigneur. Deux. Sabres. D'acier. Takayama prend le *katana* à deux mains et le lève au-dessus de sa tête.

— Ce sabre appartenait à la mère de Saburo, qui se tenait près de mon grand-père durant les batailles, protégeant son dos de ses ennemis, et qui dormait au pied de son lit, protégeant son sommeil des assassins. Mon grand-père disait qu'il n'avait pas de vassale plus fidèle.

Takayama tend le sabre vers Yukié d'un geste brusque. Elle le prend en le tenant bien haut au-dessus de sa tête, en signe de respect. Ses mains tremblent. Un sabre. Elle vient de recevoir un sabre des mains de son seigneur. Elle est l'un de ses guerriers à présent. Il ne lui a pas offert un sabre court, mais bien un long *katana*. Une arme d'adulte. Elle est une adulte.

Elle dépose le sabre à sa gauche, comme si elle venait de le retirer de sa ceinture. Takayama prend le *wakizashi* des mains de Saburo et le tend à Yukié de la même manière. Cette fois, cependant, lorsqu'elle pose les mains sur le fourreau, le seigneur ne retire pas immédiatement les siennes.

— Seras-tu pour moi un garde aussi fidèle que la mère de Saburo le fut pour mon grand-père? Feras-tu honneur à tes sabres, Yukié?

Elle n'hésite même pas avant de répondre. Elle n'a jamais été si heureuse de sa vie.

— Oui, seigneur Takayama!

Il lui abandonne le *wakizashi*. En le prenant, elle ne peut s'empêcher de le serrer contre sa poitrine pendant un instant. Saburo lui fait un signe de tête. Elle s'écarte de l'allée centrale et va s'agenouiller près de lui. Le seigneur, semble-t-il, a encore des choses à dire à ses samouraïs. Après avoir promené sur l'assistance son regard acéré, Takayama se lève.

— Le seigneur de Gokoro a refusé de traiter avec nous, annonce-t-il. Il va à nouveau attaquer la rizière. Cette fois, nous ne ferons pas que réagir à son attaque. Samouraïs, préparez-vous. Armez vos fils en âge de combattre. Envoyez des messages aux guerriers à un sabre disséminés dans la campagne. Dans quatre jours, nous marcherons sur Gokoro. Et cette fois, ce sera toute la province de Takayama qui les attaquera!

Dans la salle, quelqu'un crie «Takayama!». Le mot est repris, scandé par des samouraïs qui brandissent le poing. Yukié joint sa voix à la leur. Enfin, ils vont se battre! Voilà qui devrait faire taire ceux qui pensent que leur seigneur est mou et faible.

Au moment où elle a cette pensée, son regard croise celui de son frère aîné. Ichirô est en face d'elle, de l'autre côté de l'allée, parmi d'autres samouraïs. Il a le poing levé, mais sa bouche est tordue en une grimace haineuse. Il prononce le nom de Takayama entre ses dents serrées, comme s'il voulait le mordre au passage, le déchirer.

Takayama parle encore un peu, mais Yukié n'arrive pas à l'écouter. Toute son attention reste fixée sur Ichirô, qui ne la quitte pas non plus des yeux. Le seigneur finit par sortir et l'assemblée se lève. Le frère de Yukié se retrouve près d'elle avant qu'elle ne puisse l'éviter. Il l'attrape par le bras et se penche pour lui parler à l'oreille. Autour d'eux, tous doivent croire qu'Ichirô veut la féliciter pour le cadeau qu'elle s'est mérité.

Évidemment, ce qu'il lui murmure est très loin d'un compliment.

— Tu aurais dû lui ouvrir toi-même la gorge, petite sœur ! J'espère que tu n'as pas oublié ton devoir envers ta famille !

Elle secoue la tête.

— Je sais où est mon devoir, Ichirô.

Elle s'éloigne de lui. Il ne peut pas la retenir, pas avec tous ces samouraïs qui viennent la féliciter. Yamaki est l'un d'eux. Il l'aide à glisser correctement les deux sabres dans sa ceinture. Ses mains, qui lui effleurent la taille un instant, lui semblent brûlantes à travers la soie de son kimono. Elle rougit. Saburo l'encourage à parader un peu. Les samouraïs du village partent un à un. Ichirô est l'un des derniers.

En le regardant sortir de la pièce, Yukié ne peut s'empêcher de penser à ce qu'il lui a dit. Depuis le début, Ichirô et Misaki lui rabattent les oreilles à propos de son devoir envers sa famille, envers la mémoire de son père, contre le seigneur qui l'a fait mourir… Mais ce même seigneur est le seul, depuis Père, à l'accepter comme un guerrier même si elle est une fille. Est-ce qu'elle va devoir le perdre lui aussi? Le tuer, comme le messager? En tant que samouraï, elle a aussi un devoir envers son seigneur…

Elle regarde ses mains. Elles lui semblaient propres lorsqu'elle a reçu ses sabres, mais soudain on dirait qu'elles sont à nouveau visqueuses de sang.

22

LA TROUPE DE SAMOURAÏS marche depuis deux jours. Ils viennent de passer la crête des montagnes. Encore une heure et ils seront à la rizière. Déjà, ils croisent les premières maisons des paysans qui y travaillent. Satô a mal partout, mais il doit admettre que la situation pourrait être bien pire. Les vieux samouraïs autour de lui ont raconté des histoires de bataille où ils devaient se rendre à destination en courant la moitié du temps, sans même s'arrêter pour manger, et en dormant une heure ou deux à la fois. Satô se considère chanceux. Pour sa première campagne militaire, il a droit à trois repas par jour, même si c'est souvent du riz froid, et à une nuit de sommeil assez longue, bien qu'il ait du mal à dormir à la belle étoile. Seul le seigneur dort sous une tente. Le seigneur et Yukié.

Hier soir, lorsqu'elle est entrée dans sa tente, avec ses nouveaux sabres à la ceinture, Satô a bien cru que ça y était, que le seigneur venait de vivre son dernier jour. Cependant, ils sont ressortis tous les deux ce matin. Satô a été déçu pendant un moment, mais ensuite il s'est raisonné. Yukié ne pourrait pas assassiner le seigneur maintenant. Gokoro a sans doute appris que les samouraïs de Takayama sont en marche. Ce n'est pas le moment de désorganiser les troupes en changeant brusquement de seigneur.

Ils arrivent à la rizière, qui ressemble à un immense escalier taillé dans la pente douce du flanc de la montagne. Les premiers rangs de l'armée ont déjà commencé à avancer, marchant sur les digues qui quadrillent les champs inondés. Les paysans qui travaillent dans la rizière lèvent à peine la tête en les voyant. Ce n'est pas la première armée qu'ils croisent. Ils ne s'interrompent pour saluer que lorsque le seigneur passe près d'eux, sur son cheval qui avance avec précaution. Satô est un peu surpris de leur attitude désinvolte, mais il en comprend la nécessité : c'est la saison de la récolte. Si les paysans se prosternent dans la boue et restent là jusqu'à ce que toute l'armée soit passée, ils auront perdu une précieuse journée de travail.

La progression à travers les champs est lente et épuisante. Les digues ne sont pas larges. Les samouraïs peuvent avancer à deux de front, mais c'est juste. De temps en temps, quelqu'un glisse du petit chemin et se retrouve dans la boue, au milieu des plants de riz... et des éclats de rire. C'est assez comique de voir un digne samouraï se changer en monstre de glaise ! Le temps qu'on l'aide à reprendre pied sur le terrain sec, tout le monde est bloqué sur place.

Enfin, les guerriers atteignent le bas de la montagne. La rizière s'étend encore sur quelques dizaines de mètres en terrain plat, jusqu'au bord d'un ruisseau. De l'autre côté du petit cours d'eau, le sol de la vallée est plat et caillouteux sur une grande distance, puis il disparaît dans une forêt de grands bambous qui s'élève en pente douce. C'est ici, expliquent à Satô les vieux samouraïs, au fond de cette vallée, sur cette plaine à peine plus large qu'une portée de flèche, que se livrent les combats contre les troupes de Gokoro, année après année.

Shûgatsu crie des instructions, qui sont relayées aux différents groupes de guerriers. Chaque unité prend sa position. Satô se retrouve au milieu des troupes, sur une petite butte, aux côtés des archers. Durant la bataille, son rôle sera de les approvisionner en flèches. Il a été très déçu quand Ichirô, après lui avoir donné le *katana* qui a fait de lui un adulte, l'a informé de ce que serait son rôle dans la bataille. À présent, il se rend compte que tous les garçons fraîchement admis au rang d'homme ont reçu des tâches aussi humbles que la sienne. Des tâches destinées à leur faire voir la guerre sans risquer inutilement leurs vies. Ichirô, lui, est à l'avant, avec les meilleurs guerriers du village et les samouraïs à un sabre. Yukié est à l'arrière, avec le seigneur, les gardes et les troupes gardées en réserve.

Une fois en ordre de bataille, les samouraïs s'assoient par terre, sans quitter leur position. Autour de Satô, les hommes s'étirent et discutent. Ceux qui ont des armures les ajustent pour être à l'aise. Certains se sont même étendus pour faire la sieste. Des éclaireurs ont confirmé au seigneur Takayama que l'armée de Gokoro est en marche. Des guetteurs sont donc postés parmi les bambous. Les samouraïs de Takayama attendent. Il n'y a rien d'autre à faire. Ils ne peuvent plus avancer, car le terrain situé plus loin devant eux n'est pas propice à l'attaque ou à la défense. Ils sont aussi bien positionnés qu'ils peuvent l'être s'ils veulent défendre la rizière et éviter d'être contournés par l'ennemi. Si jamais l'armée de Gokoro décide de ne pas venir, celle de Takayama restera sur place, elle laissera les paysans terminer la récolte, puis elle repartira avec la part qui revient à Takayama.

Le temps passe lentement. Satô a les yeux fixés sur l'orée de la forêt de bambous. Il essaie de repérer les mouvements des guetteurs, prêt à bondir au premier signe de l'ennemi. À chaque fois qu'une feuille remue, ses mains se posent sur la poignée de son *katana*. Les hommes autour de lui se moquent avec gentillesse, mais ils sont nerveux eux aussi, il le sent. Seuls les plus vieux semblent réellement calmes. Il essaie de se rappeler les enseignements de son père : Sasori disait toujours à ses enfants qu'ils devaient être détendus jusqu'à l'instant même de la bataille, sinon ils risquaient de s'épuiser à attendre.

La nuit tombe. Des petits feux sont allumés un peu partout. On y pose des bouilloires et on fait du thé. Satô en boit une tasse, les mains un peu tremblantes. Il est fatigué. Son casque et ses sabres lui semblent peser une tonne. Il pense à Ichirô, revêtu de l'armure de leur père. Le grand casque, le masque grimaçant, les manches renforcées et le plastron en lamelles d'acier sont très lourds. Or, Ichirô les porte depuis deux jours. Satô est soudainement très content que ce soit son frère qui ait hérité de l'armure et de n'avoir lui-même qu'un casque !

Ses yeux refusent de rester ouverts. Des archers l'encouragent à prendre un peu de repos. Il ôte son casque et la petite bannière des Hanaken qu'il porte dans son dos. Chaque soldat a une bannière semblable : elles les identifieront durant la bataille. Il retire ses sabres de sa ceinture et se couche sur le sol, la tête posée sur le fourreau de son *wakizashi*, le *katana* le long de son torse. Voilà, il ne lui reste qu'à dormir, à présent. Et à espérer qu'il ne pleuve pas.

Il observe les étoiles. Rien à faire. Il ne pourra pas dormir. Pas avec le bruit de l'armée autour de lui. Pas avec la crainte que Gokoro attaque durant la nuit, qu'on ne le réveille pas assez vite et qu'il ouvre les yeux juste à temps pour voir une épée descendre sur lui...

Il se redresse en sursaut. Il a dormi, finalement. Le ciel n'est plus noir, mais gris et lumineux. C'est l'aube. Quelque chose l'a tiré du sommeil. Il en est encore à chercher ce que cela pouvait être lorsqu'il l'entend à nouveau : le bruit de dizaines d'oiseaux qui s'envolent tous en même temps. Cela vient de la forêt de bambous. Il se lève d'un bond. Quelque chose avance parmi les bambous. Quelque chose qui dérange les oiseaux. L'armée ennemie.

Il secoue les hommes qui dorment autour de lui, tout en remettant son casque et sa bannière et en glissant ses sabres à sa ceinture. Après être allé chercher un ballot de flèches, il commence à les distribuer. Tout le monde s'arme. On se met à crier des ordres. C'est le branle-bas de combat. Satô se retrouve toujours dans les jambes de quelqu'un. On le bouscule, on lui marche sur les pieds... Puis on le pousse à l'écart de la ligne d'archers.

Les premiers ennemis font leur apparition. Puis d'autres. Et d'autres encore. L'armée adverse se place en formation, hors de portée de flèches. Ils sont si nombreux ! On dirait une forêt de petites bannières. Quelqu'un près de Satô dit d'un ton soulagé que Takayama a au moins cinquante hommes de plus. Satô n'arrive pas à le croire. L'armée ennemie paraît si grande !

L'un des samouraïs de Gokoro s'avance dans l'espace dégagé qui sépare les deux armées. Il porte une armure rouge et un masque effrayant. Satô l'entend crier, de toute la force de ses poumons.

— Je suis Hitô, maître d'armes de la maison Gokoro ! Y a-t-il un brave parmi vous pour m'affronter en duel ?

Aussitôt, Satô voit Shûgatsu, qui était à l'arrière, près du seigneur, fendre les rangs de l'armée et marcher vers le maître d'armes ennemi.

— Oui, moi ! Je suis Shûgatsu, maître d'armes de la maison Takayama.

Les deux hommes se saluent, comme s'ils étaient à l'entraînement. Mais les sabres qu'ils dégainent sont en acier. Ils poussent un cri bref et s'élancent l'un contre l'autre. Leurs *katanas* se heurtent avec fracas.

Hypnotisé par ce duel, Satô entend à peine le second défi, lancé par un des hommes de son camp, cette fois. Un homme du clan Gokoro dont Satô ne saisit pas le nom répond au défi et un second duel s'engage. D'autres cris fusent. D'autres duels commencent. Un vieux guerrier du clan Gokoro demande à un homme de la famille Yamaki de venir se battre, afin de lui donner la chance de tuer le fils après avoir tué le père. Un jeune homme, qui porte le nom Yamaki sur sa bannière, quitte les rangs des gardes du seigneur Takayama et s'avance en dégainant son sabre.

Shûgatsu et le samouraï en armure rouge se battent toujours. Des cris d'encouragement se font entendre des deux côtés du champ de bataille. Lorsqu'un coup de Shûgatsu atteint le bras de l'homme en armure rouge, celui-ci recule en titubant et lâche son *katana*. Dans les rangs du clan Takayama, quelques hommes se mettent aussitôt à crier que le maître d'armes de Gokoro ne sait pas tenir une épée. Les samouraïs d'en face, piqués par l'insulte, dégainent leurs sabres et s'avancent. L'écart entre les deux armées diminue tandis que les rangs se rapprochent des duellistes.

Autour de Satô, les archers bandent leurs arcs. Ils attendent, patients, que les esprits s'échauffent, que les premiers combats s'engagent... et ils lâchent leurs flèches. Elles pleuvent sur les rangs ennemis, tombant derrière les troupes qui ont déjà engagé le combat, au milieu d'hommes qui n'avaient pas commencé à se battre, qui ne s'attendaient pas à être blessés ou à mourir. Satô voit tomber les premiers corps. Il entend des gémissements de douleur. Des ordres sont hurlés de part et d'autre. On lui réclame des flèches. Encore des flèches. Les sabres tintent. Les hommes crient.

23

YUKIÉ ESSAIE DE SUIVRE des yeux le duel de Yamaki, mais elle le perd vite de vue lorsque la mêlée s'engage. Elle n'arrive pas non plus à repérer la bannière d'Ichirô, au milieu de tous ces drapeaux qui s'agitent. Seul Satô lui est visible, à quelques pas devant elle au milieu des archers.

La clameur de la bataille est si forte que Yukié a du mal à penser. Elle ne sait pas si son clan est en train de gagner ou de perdre. Seul le seigneur, du haut de son cheval, a une vue d'ensemble de l'affrontement. De temps à autre, il crie un ordre. Aussitôt, de petits groupes de samouraïs restés près de lui, loin du danger, se précipitent au combat, en un lieu précis du champ de bataille. Comme Yukié ne voit pas vraiment ce qui se passe, elle ne comprend pas la logique de ces déplacements, mais elle sait qu'ils ont pour but de soutenir les endroits où leur ligne de défense est plus faible. Si cette ligne était détruite, les ennemis pourraient les attaquer dans plus d'une direction à la fois, ce qui serait dangereux. Tant que la ligne tient, les adversaires sont obligés de rester face à l'armée, là où les samouraïs peuvent les voir et les affronter à coups de sabre. Là où ils se font découper en morceaux.

Quelques flèches sifflent autour du groupe où se tient Yukié. L'armée ennemie a réussi à mettre ses archers en place, juste à l'orée du bois. Aussitôt, le seigneur fait un large signe du bras. Satô et deux autres garçons allument des torches grâce à l'un des feux qui a servi à préparer le thé du matin, puis ils se précipitent vers les archers. Ceux-ci plongent leurs flèches au cœur des flammes, puis relâchent leurs projectiles, visant les tireurs ennemis. La plupart des flèches n'atteignent pas les archers de Gokoro, mais, en se plantant dans le sol, elles mettent le feu aux broussailles. Une épaisse fumée s'élève bientôt. Les archers ennemis, aveuglés, ne peuvent plus tirer.

Des cris retentissent sur la droite. Quatre samouraïs du clan Gokoro ont percé la ligne de défense et foncent sur le seigneur. Yukié dégaine son *katana*, le souffle court. Elle a envie de se précipiter vers eux en hurlant. De faire comme les soldats autour d'elle, qui tranchent l'air et les ennemis à coups de sabre. Ce n'est cependant pas son rôle. Pas pour l'instant. Elle doit rester près de son seigneur, être son ultime rempart contre les coups.

Certains des soldats du clan Takayama s'aperçoivent qu'ils ont été débordés par les quatre ennemis. Plusieurs font volte-face. Yamaki est parmi eux. Ils entourent les assaillants. Les quatre hommes n'ont aucune chance. Ils tombent, percés de toutes parts. Le sol s'imbibe de sang. Les soldats vainqueurs retournent au combat.

Yukié se rend compte qu'elle a les mains crispées sur la poignée de son sabre. Elle se force à relâcher un peu sa prise. Elle prend une profonde inspiration, puis expire lentement. La clameur est toujours aussi assourdissante. Cris, bruits de coup, sifflement des flèches, gémissements de douleur. La menace s'est cependant éloignée de son groupe de samouraïs.

Elle tremble, mais ce n'est pas de peur. Elle a envie de se battre. Elle espère qu'on les attaquera de nouveau et que, cette fois, elle aura un rôle à jouer.

24

LA BATAILLE EST SI CONFUSE que les archers ont de plus en plus de mal à trouver des ennemis isolés auxquels décocher leurs flèches. Pas question pour eux de tirer dans la mêlée : ils risqueraient de blesser les samouraïs de leur propre clan. Comme le rythme des tirs ralentit, Satô n'a plus besoin de courir partout pour fournir des flèches aux archers. Il a enfin le temps de souffler un peu… et d'observer la bataille.

Il est difficile de dire si les troupes de Takayama gagnent ou perdent. La majorité de l'armée ennemie semble avoir été repoussée vers la forêt de bambou, mais quelques groupes se sont glissés parmi les soldats du clan Takayama et se taillent un chemin dans leurs rangs à coups de sabre. D'ailleurs, l'un de ces groupes est en train de contourner le flanc gauche de l'armée. Les archers l'aperçoivent et commencent à le prendre

pour cible. Satô se remet à courir, flèches à la main, pour s'assurer que personne ne manquera de projectiles.

Quelques tirs précis permettent de ralentir le petit groupe de samouraïs ennemis juste assez longtemps pour que les soldats du clan Takayama resserrent leurs positions et fassent front efficacement. La manœuvre de contournement vient d'échouer.

Les soldats qui entourent Satô baissent leurs arcs. Ils reprennent leur souffle, en secouant leurs bras fatigués. Les grands arcs utilisés dans le fief Takayama sont précis et tirent loin, mais il faut des muscles de fer pour les tendre à répétition. Satô pose son panier de flèches sur le sol et essaie de se reposer un peu lui aussi. Tête baissée, il fait rouler ses épaules pour essayer d'en chasser la tension. La bataille fait rage autour de lui, mais il n'a pas de raison de s'inquiéter. Tout va bien jusqu'à présent et…

— Hanaken !

Le cri de l'un des archers fait relever la tête à Satô. Un soldat fonce vers lui, sabre levé. Satô porte la main à son *katana*, mais il sait qu'il n'aura pas le temps de dégainer. Il se revoit quelques semaines plus tôt, évitant le sabre de Jitotsu. Pourvu qu'il y arrive aujourd'hui encore ! La lame d'acier descend vers lui, visant son épaule droite. Il fait un pas vers la gauche, vivement. Pas assez vivement. Le samouraï a anticipé son mouvement et change la trajectoire de son épée. Sa lame va atteindre Satô au ventre, elle va…

Le bruit de l'acier frappant l'acier surprend Satô autant que son adversaire. Sa main droite a été plus rapide que sa tête. Elle avait commencé à dégainer le *katana* et c'est lui, son long sabre encore à moitié dans son fourreau, qui vient de bloquer le coup ennemi.

Aussitôt, sans chercher à finir de dégager son *katana*, Satô referme la main gauche sur la poignée de son *wakizashi*. Il est si court, il se dégaine en un éclair. Alors que l'ennemi ramène son sabre en arrière pour porter un nouveau coup, Satô frappe de la main gauche.

L'acier pénètre dans la gorge avec une facilité déconcertante. Satô fait un pas en arrière tandis que son ennemi s'effondre. Il l'a tué ! Sa main droite termine le mouvement entamé plus tôt et son *katana* glisse hors de son fourreau. Il a désormais un sabre dans chaque main. La lame de son *wakizashi* dégouline de sang. Il est prêt à se défendre contre le monde entier !

Il regarde autour de lui. Un groupe d'ennemis a dû défoncer la ligne de défense, car une vingtaine de samouraïs du clan Gokoro sont en train de se battre contre les archers. Il y a déjà des corps étendus au sol, blessés ou morts. La plupart des archers ne peuvent utiliser que leur *wakizashi* pour se défendre, car leur *katana* est attaché dans leur dos et le dégainer demanderait trop de temps. Les plus désespérés utilisent leur arc pour parer les coups. Un lent mouvement de retraite s'organise. Les troupes de réserve ne sont pas loin derrière les archers. Elles avancent dans leur direction. Si elles les rejoignent, les samouraïs du clan Takayama seront les plus nombreux et ils pourront encercler leurs ennemis.

Satô recule pas à pas, en essayant de regarder partout à la fois pour éviter d'être surpris à nouveau par un assaillant. À quelques pas de lui, il voit l'un des vieux archers mettre le pied au milieu d'un tas de flèches abandonnées sur le sol. Sa cheville se tord et il tombe sur un genou. L'ennemi devant lequel il reculait se précipite sur lui, sabre levé.

Quelques minutes plus tôt, Satô serait sans doute resté figé sur place, comme si le vieil archer était en train de s'entraîner et devait se sortir seul de ce mauvais pas, avec, au pire, quelques bleus s'il n'y parvenait pas. Oui, quelques minutes plus tôt, Satô aurait laissé le vieil homme se débrouiller.

Depuis, ses sabres lui ont sauvé la vie.

Il bondit avant que l'épée ennemie s'abatte. L'autre ne l'a pas vu venir. Le *katana* de Satô lui tranche proprement la nuque. La tête roule sur le sol. Le vieil archer est déjà debout. Deux ennemis se dirigent vers Satô et lui. Le vieil homme attrape la manche du kimono de Satô et le tire en arrière. Ils reculent. Un pas, deux pas, trois pas. Les ennemis avancent…

Satô voit un mouvement sur sa droite. Il tourne la tête. Trois gardes du seigneur le dépassent en hurlant, leurs sabres fendant l'air. L'un des ennemis tourne les talons et fuit. L'autre s'écroule et râle, une jambe en moins.

Derrière Satô, un cheval renâcle. Satô jette un coup d'œil par-dessus son épaule. Il est à quelques pas du seigneur, de ses gardes et des troupes de réserve. Il ne manque pas d'alliés pour protéger ses flancs et son dos. Il est à nouveau en sécurité. Autant qu'il lui est possible de l'être à tout le moins. Yukié lui sourit.

25

LE SOULAGEMENT FAIT CHANCELER Yukié lorsque Satô rejoint enfin les rangs de son groupe de samouraïs. En voyant les assaillants se jeter sur la troupe d'archers, elle a cru qu'elle venait de perdre son petit frère bien-aimé, celui qu'elle rossait à coups de sabre de bois lorsqu'il jouait à lui donner des ordres sous prétexte qu'il était un garçon et qu'une fille devait lui obéir.

Depuis le début de la bataille, Yukié n'a pas peur pour sa propre vie, mais elle comprend soudain que celles de ses frères et de son seigneur sont en jeu elles aussi... ainsi que celle de Yamaki. Tous ces hommes qu'elle connaît et qui pourraient mourir dans la boue, comme des fleurs tombées des branches du cerisier... Il est difficile de ne pas trembler pour eux. Même si elle sait qu'ils ne craignent sans doute pas pour eux-mêmes. C'est sa première bataille. Il est normal qu'elle éprouve quelques angoisses.

Ichirô aussi en est à sa première bataille. Pourtant, il est là, loin devant, au premier rang des guerriers, avec la bannière des Hanaken qui flotte dans son dos. Yukié le voit bien depuis sa place près du seigneur. Son frère aîné ne manifeste aucune hésitation, aucune peur. Il brandit un *katana* rouge de sang. Les ennemis s'écartent de son chemin. Ils sont terrorisés par son épée redoutable, mais plus encore par le nom écrit sur sa bannière. Dans la région, chacun sait que croiser un Hanaken sur un champ de bataille est un présage de mort imminente.

Cependant, les soldats qui fuient Ichirô ne font que gagner quelques instants de répit. Les samouraïs qui se tiennent auprès de lui ont une réputation moins impressionnante, mais ils savent manier leurs *katanas*. Chaque fois qu'un ennemi est distrait en voyant la bannière des Hanaken et qu'il tente de s'en éloigner en hâte, l'un des autres guerriers se précipite sur lui et le terrasse en quelques coups. Ceux qui restent pour affronter Ichirô ne survivent pas davantage. Les hommes du clan Takayama avancent pas à pas.

Autour d'Ichirô, la ligne de défense ennemie se brise et se disperse. Les survivants, ceux qui ne se sont pas assez approchés de lui pour recevoir un coup de sabre, commencent à reculer dans la forêt de bambous. Les samouraïs du camp Takayama crient des insultes aux ennemis qui fuient, les traitant de lâches, les sommant de revenir pour mourir dans la gloire du combat ou pour se faire *seppuku*, comme des vaincus le doivent s'ils ne veulent pas perdre leur honneur en même temps que la bataille.

Sur la droite du champ de bataille, d'autres cris éclatent. Un groupe de samouraïs, mené par Yamaki, a percé à son tour les défenses du clan Gokoro. Eux aussi insultent les hommes qui s'enfuient. Yukié entend bientôt crier un troisième groupe. Sur la gauche, Shûgatsu et une poignée de guerriers viennent de briser la cohésion d'un des derniers groupes d'ennemis. Ceux-ci se sauvent à toutes jambes, mais ils sont loin de l'abri de la forêt de bambous. Les archers de Takayama tendent leurs arcs. La moitié des fuyards tombe.

Autour de Yukié, les gardes du seigneur se mettent à rire et à lancer des cris de victoire. Plusieurs dégainent leurs *katanas* et courent vers les bambous, décidés à rattraper le plus de fuyards possible et à les achever. Déjà, Ichirô et les hommes qui l'accompagnaient ont disparu dans la forêt. Yukié aimerait bien les accompagner, elle aussi. Elle a envie de faire payer aux ennemis la peur qu'elle a ressentie pour son petit frère. Si elle pouvait en tuer un, elle se sentirait mieux. Elle se sentirait puissante…

C'est alors que la voix du seigneur s'élève en un cri.

— Laissez fuir les lâches ! À moi, mes guerriers ! À moi, hommes de Takayama !

Interrompus dans leur élan, les gardes qui couraient vers la forêt se retournent, croyant leur seigneur en danger. En le voyant, assis sur sa monture, aussi détendu que s'il revenait d'une chasse, la stupéfaction se peint sur leurs visages. Certains reprennent aussitôt le cri du seigneur, le faisant retentir d'un bout à l'autre du champ de bataille. D'autres restent sur place, abasourdis.

Lorsque l'ordre parvient à ses oreilles, Kurotani, l'un des samouraïs du village, rengaine son *katana* avec brusquerie et se dirige vers le seigneur d'un pas lourd. Son attitude pourrait être celle d'un guerrier fatigué, mais elle semble menaçante à Yukié, pour une raison qu'elle n'arrive pas à définir. En le voyant s'approcher, elle ne peut s'empêcher d'exécuter un petit pas glissé, discret, afin de se placer directement entre Kurotani et le seigneur.

— Takayama! Vous ne voulez pas éliminer les restes de cette armée de lâches? lance cavalièrement Kurotani au seigneur.

— Ce n'est pas nécessaire, Kurotani. Nous venons d'obtenir une belle victoire. Nous devons la consolider. Rattrape les hommes qui sont partis dans la forêt avant qu'ils se fassent tendre une embuscade et dis-leur de revenir.

L'homme s'éloigne en maugréant. Yukié comprend sa mauvaise humeur. Elle aurait aimé, elle aussi, exterminer les fuyards.

— À quoi penses-tu, Yukié? demande alors le seigneur.

Yukié jette un coup d'œil autour d'elle. Les gardes, occupés à achever les blessés ennemis, se sont éloignés. Elle est seule avec le seigneur.

— Pardonnez-moi, mais je pense que je ne comprends pas, seigneur Takayama. Ne vouliez-vous pas écraser enfin l'armée Gokoro? Pour cela, il aurait fallu tuer le plus de soldats possible, non? Même les fuyards.

— Non. Ton père et moi avons fait cela pendant des années : vaincre l'armée, tuer des fuyards, nous croire en sécurité, être attaqués de nouveau… Cette année, nous remporterons la victoire une fois pour toutes.

Elle hoche la tête comme si elle saisissait ses propos. Le seigneur n'est pas dupe.

— Regarde la montagne derrière nous, Yukié.

Elle obéit. Le flanc de la montagne est magnifique dans le soleil à présent complètement levé. Les digues sont vertes et brunes, entre les champs de riz inondés qui brillent comme des miroirs. À la grande surprise de Yukié, les paysans sont au travail, courbés dans la boue, comme s'il n'y avait pas eu de bataille à quelques centaines de mètres d'eux.

— Que vois-tu?

— La rizière… et les paysans qui cultivent, comme si nous n'existions pas.

— Pour eux, nous n'existons pas. Ils ne nous voient que deux ou trois fois par année, lorsque nous venons nous battre pour savoir à qui appartiendra la prochaine récolte. Ils ne savent pas qui nous sommes. Peu leur importe qui gagne ou qui perd. Voilà ce que je vais changer, Yukié.

Le seigneur a le regard rêveur. Yukié ne sait pas quelles sont ses intentions, mais elle est intriguée. Les paysans ont le devoir de cultiver la terre et d'obéir à tous les samouraïs. Pour eux, les guerriers sont aussi lointains et impressionnants que des *kamis*. Pourquoi se préoccuperaient-ils de leurs batailles?

26

SATÔ NE S'EST PAS PRÉCIPITÉ avec les autres vers la forêt de bambous lorsque la victoire de son clan est devenue évidente. Comme on le lui avait demandé, il a plutôt commencé à ranimer les feux de cuisine et à mettre de l'eau à bouillir. Cela sera utile pour les pansements des blessés et pour le thé des hommes épuisés.

Tout en s'activant, Satô cherche à apercevoir Ichirô. Il n'a pas à s'inquiéter pour Yukié : elle est restée aux côtés du seigneur pendant toute la bataille, bien à l'abri. D'ailleurs, elle donne à Satô l'impression qu'elle aurait aimé courir un peu plus de risques. Elle se tient les épaules courbées, comme lorsque leur père la privait d'entraînement pour la punir d'avoir été impolie avec l'une des femmes de la maison.

Plus le temps passe, plus Satô s'inquiète pour Ichirô. La plupart des samouraïs, même ceux qui ont pénétré dans les bambous à la suite des fuyards, sont revenus et se sont regroupés en formation comme avant la bataille. Lui n'est toujours pas là.

Satô en est rendu à se mordiller les lèvres comme une fille lorsqu'il voit enfin son frère sortir de la forêt. Deux autres samouraïs l'accompagnent. À sa démarche arrogante, Satô reconnaît Shûgatsu. Ce dernier a perdu sa bannière, ainsi que l'une des manches de son armure, sans doute tranchée par un coup de sabre. Shûgatsu peut se prétendre le remplaçant du père de Satô, mais il n'a visiblement pas son talent ! L'autre samouraï est l'un des gardes du seigneur, Yamaki. Sa bannière claque au vent.

Alors que le trio se rapproche, Satô remarque que chacun des hommes semble porter un sac à sa ceinture. Curieux. Ils avaient pourtant les mains vides lorsqu'ils se sont enfoncés dans la forêt...

En voyant la traînée sanglante que l'un de ces sacs a laissée le long du *hakama* clair de Yamaki, Satô sent son ventre se contracter. Il détourne les yeux, mais c'est trop tard. Il a un hoquet. Sa bouche se remplit d'un liquide acide. C'est son thé du matin qui remonte. Ses yeux se brouillent. Il crache, en essayant de rester discret. Un goût âcre lui reste collé dans la bouche. Il crache à nouveau. Et encore. Il essaie de respirer profondément malgré les haut-le-cœur. Il inspire par le nez. L'air pue la viande crue et le sang. Le ventre de Satô se contracte à nouveau, mais il le combat. Il se tient bien droit, tête renversée en arrière. Ses jambes tremblent. Pas question de s'effondrer. Pas question de vomir. Respirer, douce-ment, par la bouche. Il pose une main sur son ventre. Il le sent se tendre à nouveau, mais il le flatte. Il le calme. Il se calme.

Ichirô a vu le manège de Satô. Comme le reste de l'armée. Quelques jeunes samouraïs le regardent, l'air hautain. Les vétérans, eux, lui adressent une grimace compatissante. Ils sont passés par là, semblent-ils dire. On passe tous par là.

Tous sauf Ichirô. Le voici qui arrive à côté de Satô. La chose à sa ceinture saigne. On n'en voit pas les taches sur son pantalon foncé, mais quelques gouttelettes atteignent le sol. Là où Ichirô va, une traînée de sang le suit. Satô essaie de ne pas fixer le macabre trophée que son frère a accroché à côté de ses sabres. C'est difficile. La tête coupée, attachée par les cheveux, a les yeux ouverts. Ils regardent Satô, qui a de nouveau mal au cœur.

— Que se passe-t-il, Petit Frère ? l'apostrophe Ichirô. Tu ne digères pas notre victoire ?

Son ton est railleur, presque agressif. Satô en comprend la raison : il lui fait honte en étant aussi faible. Il essaie donc de lui répondre par une boutade, pour faire honneur à sa famille.

— La victoire, ça me va, mais c'est l'horrible chose à ta ceinture qui me dégoûte. A-t-on déjà vu un homme aussi affreux ?

Ichirô soulève la tête en la tenant par les cheveux et l'examine, en la tenant très près de son visage. Satô s'efforce de ne pas broncher.

— C'est vrai qu'il n'est pas beau, admet l'aîné. C'était Gokiya, garde personnel et cousin du seigneur Gokoro. J'ai ramené sa tête pour prouver que je l'ai tué ! La prochaine fois que nous nous battrons, moi aussi je pourrai me vanter de mes victoires ! Le nom des Hanaken effraie les ennemis, mais bientôt ils sauront qu'Hanaken Ichirô est le plus redoutable de la lignée !

Que répliquer ? Satô décide de garder le silence. Il lui semble que la fanfaronnade de son frère est à la limite de l'irrespect envers leurs ancêtres. Ichirô remet la tête à sa ceinture.

— Bon, fait-il en baissant le ton, je suppose que je vais aller porter mon trophée à mon « cher » seigneur.

Ichirô crache sur le sol à ces mots et s'éloigne en direction de la petite butte où se tient le seigneur. Des hommes s'inclinent en le voyant passer près d'eux. Ichirô a gagné leur respect aujourd'hui. Il s'est montré digne du nom des Hanaken. Digne de Père.

Satô s'interroge. Lui-même a-t-il été digne de son nom aujourd'hui ? Il a tué deux hommes pour sauver sa vie. Ce n'est pas avec de tels exploits qu'il va devenir un guerrier redouté !

27

TANDIS QUE LES HOMMES se rassemblent et commencent à dégager le champ de bataille des corps qui l'encombrent, le seigneur Takayama met pied à terre. Il tend à Yukié les rênes de son cheval, puis fait signe à Saburo et à quelques vieux samouraïs de s'approcher de lui. Ils se lancent alors dans une discussion à voix basse. De temps à autre, l'un d'eux désigne un endroit ou un autre de la plaine qui s'étend devant eux. Les hommes parlent trop bas pour que Yukié saisisse leurs paroles, malgré sa curiosité. Au bout d'un moment, elle comprend qu'un guerrier ne doit pas espionner son seigneur et elle arrête de tendre l'oreille. Elle flatte plutôt l'encolure du cheval.

Elle s'ennuie de l'époque où elle aidait Père à s'occuper de sa monture. Le cheval du seigneur est plus beau que Kaze, celui que possédait Père, mais il est trop placide. Lorsque Yukié lui flattait le cou, Kaze soufflait avec force et la poussait du museau pour manifester son plaisir. Le cheval du seigneur, lui, cligne à peine de l'œil. On dirait une statue. Un cheval parfait. Yukié aime les animaux qui ont plus de caractère.

Ainsi concentrée sur le cheval, elle n'a pas vu Ichirô approcher. Son frère aîné se tient désormais à quelques pas du petit groupe avec lequel discute le seigneur. Shûgatsu et Yamaki le rejoignent bientôt. Tous trois portent des têtes coupées à leur ceinture. Peu à peu, d'autres samouraïs viennent les rejoindre. Eux aussi ramènent de macabres présents. Lorsque le seigneur disperse d'un geste le groupe qui lui tenait compagnie, une vingtaine de samouraïs chargés de trophées sont rassemblés. Yukié se sent nerveuse. Que ses ancêtres lui pardonnent cette pensée, mais elle n'aime pas voir son frère aîné avec un sabre à la ceinture si près du seigneur.

Dès que le seigneur Takayama fait un pas vers le groupe des porteurs de têtes, ceux-ci posent un genou à terre et élèvent leurs trophées d'une main, en les tenant par les cheveux, afin que le seigneur les voie bien. Yukié remarque que le bras d'Ichirô est celui qui se tend le plus haut. C'est cependant vers Yamaki que se tourne l'attention du seigneur.

— Yamaki, est-ce bien la tête de Gokoro que tu m'offres ainsi?

— Oui, seigneur Takayama, répond Yamaki.

Sa voix est calme et détachée. Ses yeux semblent rire, comme toujours, mais le reste de sa posture est neutre, modeste. Yukié ne sait pas comment il y parvient. Il tient la tête du seigneur ennemi, ce qui signifie qu'il l'a tué de ses propres mains. Si elle était à sa place, elle aurait du mal à ne pas danser de joie.

— Donne-la à l'un des messagers. Nous l'enverrons au fils de Gokoro, avec mon offre d'alliance et de paix.

Un murmure surpris s'élève du groupe de samouraïs agenouillés.

— Nous sommes venus pour la rizière et nous l'avons! s'exclame le seigneur avec humeur. Il est inutile de se battre pour posséder une province que nous ne pourrions pas contrôler et protéger!

Les bras exhibant les têtes coupées s'abaissent. Les hommes posent leur second genou au sol et s'inclinent bien bas. Le seigneur leur accorde à peine un regard avant de se détourner.

— Brûlez les autres têtes, ordonne-t-il en s'éloignant.

Le regard qu'Ichirô adresse à Yukié en se relevant la fait frissonner. Comme les autres, son frère aîné jette au feu son trophée conquis de haute lutte. Yukié sait qu'il est insulté parce que son présent a été dédaigné. Par contre, elle ne peut s'empêcher de trouver qu'il l'avait fort mal choisi. La coutume voulant qu'un guerrier offre à son seigneur la tête de l'ennemi le plus prestigieux qu'il a tué dans la bataille est ancienne et démodée. Barbare. Elle date d'une époque où les guerriers étaient des brutes menteuses et sans honneur, indignes du titre de samouraï. Après tout, un vrai samouraï n'a pas besoin de prouver ses exploits. On le croit sur parole.

Le seigneur Takayama, après avoir échangé quelques mots avec Saburo, revient vers Yukié. Il lui prend les rênes du cheval et monte en selle. Dégainant son sabre, il le pointe vers le ciel. Aussitôt, des samouraïs se mettent à l'acclamer, à crier leur victoire. Yukié joint sa voix aux leurs. Peu à peu, la clameur s'intensifie, alors que tous les guerriers du clan se tournent vers le seigneur et célèbrent son nom.

D'un mouvement de son sabre, le seigneur réclame le silence. Celui-ci se fait, brusquement.

— Samouraïs du clan Takayama, s'exclame le seigneur, aujourd'hui, nous avons eu la chance d'arriver à temps et de protéger notre récolte !

Les guerriers crient leur approbation, lui coupant la parole. Yukié reste silencieuse. Le seigneur a les sourcils froncés, le regard soucieux. Le message qu'il veut livrer est important et cela le contrarie, elle le voit bien, de devoir attendre à nouveau le silence. Lorsque les samouraïs se taisent enfin, la voix du seigneur claque comme un fouet.

— Il n'en a pas toujours été ainsi.

Cette fois-ci, seul le silence lui répond. Yukié avale sa salive avec difficulté. Pourquoi le seigneur assombrit-il sa victoire ? Ce n'est pas avec des déclarations pareilles qu'il va inspirer la loyauté à ses guerriers… Elle chasse aussitôt cette pensée rebelle. Un samouraï doit être loyal à son seigneur, peu importent les actes de celui-ci.

Un samouraï doit aussi être loyal à sa famille.

Yukié se désespère. Elle ne sera jamais une bonne samouraï.

Le seigneur a repris la parole. L'esprit de Yukié revient de ses vagabondages. Une place forte ? Le seigneur parle-t-il vraiment de bâtir une tour fortifiée ?

— Je veux que cette forêt de bambou recule, afin que nous puissions voir venir l'ennemi. Je veux qu'une petite garnison puisse rester ici en permanence, prête à défendre les paysans et à envoyer des pigeons voyageurs pour nous prévenir en cas d'attaque. Pour le reste de la journée, reposez-vous. Demain, dès l'aube, nous nous mettrons à l'ouvrage.

Le seigneur descend de son cheval. Yukié entend quelques hommes grogner autour d'elle. Bâtir une place forte va demander plusieurs jours de dur travail. Cependant, elle pense à ce que le seigneur Takayama lui a dit plus tôt dans la journée et elle se rend compte que l'idée est brillante. Si le clan Takayama établit une garnison ici, il sera plus difficile au clan Gokoro de venir leur disputer la rizière. À la longue, les paysans s'habitueront à la présence des samouraïs du clan Takayama. Ceux-ci les défendront contre les renards et les bandits, pas seulement contre les armées ennemies. La prochaine fois qu'une troupe de samouraïs de Gokoro voudra s'approcher d'ici, peut-être des pierres leur seront-elles lancées depuis les terrasses des rizières. Peut-être des faucilles et des battoirs à riz se lèveront-ils pour bloquer des coups de sabre…

Yukié sait que les hommes autour d'elle riraient si elle leur racontait cela. D'après eux, des paysans ne peuvent pas se défendre contre des samouraïs. Cependant, ils pensent aussi que les femmes ne sont pas faites pour manier le sabre. Le seigneur, lui, n'a jamais sous-estimé les talents de Yukié, même si elle est une femme. Il ne doit donc pas non plus sous-estimer la force que pourraient représenter des paysans prêts à se battre pour un seigneur.

Pendant le reste de la journée, Yukié escorte Takayama à travers le camp, tandis que le seigneur prend des mesures et forme des équipes de travail. Elle espère trouver un moment pour lui parler. Pour lui dire qu'elle a compris, cette fois, ses idées complexes. Elle veut qu'il soit fier d'elle. Cependant, il est très occupé et elle n'ose pas le distraire.

À la nuit tombée, comme tous les soirs depuis qu'ils sont partis du village, elle se couche tout habillée sur le sol de la tente de Takayama, en travers de l'entrée, son sabre à portée de la main. La tente est sombre et silencieuse. Le seigneur est étendu sur le lit pliant qui lui évite de dormir à même la terre. Elle hésite, mais elle sait que si elle veut lui parler, elle doit le faire maintenant, car dans quelques instants, il dormira.

— Seigneur Takayama? dit-elle en un souffle.

Il lui répond aussitôt, d'un ton impatient.

— Ne pose pas de questions dont tu connais la réponse, fille des Hanaken. Veille plutôt sur mon sommeil.

Pendant un instant, elle reste abasourdie. Elle entend le souffle du seigneur ralentir et se faire plus profond. Il s'est endormi. Elle a un peu honte, car elle l'a dérangé. Il ne l'a pas laissée lui parler. Il avait deviné qu'elle l'avait compris. Dans l'obscurité de la tente, elle sourit malgré son embarras.

28

SATÔ A LES MAINS DOULOUREUSES et les paumes couvertes d'ampoules. Il est habitué à manier le sabre, pas le manche d'une pelle! Cependant, il n'ose pas se plaindre. Autour de lui, tous les samouraïs accomplissent le même dur travail. Couper les bambous, tailler les bambous, creuser des trous, y ficher les bambous, refermer… Ils construisent une tour, des pavillons d'habitation et une palissade pour protéger l'ensemble. Les bâtiments sont conçus pour la guerre, les construire est donc un travail de samouraï. Même si plusieurs guerriers aimeraient visiblement refiler la corvée aux paysans qui s'affairent sur le flanc de la montagne et qui, de temps à autre, leur jettent des regards intrigués.

Ils travaillent depuis cinq jours. La tour est presque terminée. Saburo est en train d'expliquer à quelques jeunes samouraïs comment construire un toit assez solide pour que des hommes puissent s'y tenir et observer l'horizon. Le reste des guerriers dresse la palissade et construit quelques pavillons qui serviront de logis et de pigeonnier. Les pigeons sont déjà là. Le seigneur a demandé à l'un des gardes d'aller en chercher quelques-uns qui nichent normalement dans le pigeonnier du village. Ainsi, quand les samouraïs laissés en garnison ici voudront envoyer rapidement un message au seigneur, ils n'auront qu'à attacher le message à la patte de l'un des oiseaux et à le relâcher. Le pigeon volera tout droit vers le village, pressé de retrouver l'endroit où il était habitué de vivre. Aucun messager à cheval ne pourrait aller aussi vite que ces oiseaux-là.

C'est une idée curieuse, cette tour. Mais pas une mauvaise idée, Satô doit l'admettre. Si l'ennemi l'attaquait en force et tentait de s'en emparer, les samouraïs installés à l'intérieur seraient bien placés pour leur infliger de lourdes pertes. Ils perdraient sans doute la bataille, mais ils auraient le temps de prévenir le village et d'affaiblir l'ennemi avant l'arrivée des renforts. Takayama est ingénieux. Personne n'a jamais pensé à protéger une rizière. D'habitude, on construit des places fortes pour garder des ponts, des routes ou des cols de montagne, des endroits stratégiques, utiles pour le déplacement des armées et les guerres entre seigneurs. Surveiller ainsi des terres cultivées et un groupe de paysans, cela ne s'est sans doute jamais vu.

— En effet. Et c'est bien la preuve que nous sommes dans un fief minuscule, répond Ichirô lorsque Satô lui fait part de son observation.

Les deux frères travaillent côte à côte. Le soleil tape dur sur leur dos nu tandis qu'ils creusent des trous pour planter les piliers des pavillons, à l'intérieur de la palissade. L'effort leur donne si chaud qu'ils ont gardé seulement leur pagne.

— Le fief de Gokoro n'est pas beaucoup plus grand, Ichirô.

Son aîné soupire. Il se redresse, étire son dos, puis se remet à creuser.

— Non, mais Gokoro pensait grand. Il voulait s'approprier cette rizière, nourrir plus de samouraïs, agrandir son domaine. Notre seigneur pense petit. Il ne veut que garder son fief. Il est mou.

Satô hausse les épaules et donne un coup de pelle. C'est le discours habituel d'Ichirô. Il n'aime pas le seigneur, donc même si protéger la rizière est une bonne idée, il ne l'admettra pas.

Ichirô comprend ce que signifie le silence de Satô.

— Demande à d'autres si tu ne me crois pas. C'est pour ça que notre père voulait remplacer le seigneur, ajoute-t-il en baissant la voix.

Satô donne un nouveau coup de pelle.

— Va voir Jitotsu. Tu verras, il va te dire la même chose que moi. Cette tour, c'est une preuve de faiblesse.

Évidemment que Jitotsu va lui dire la même chose qu'Ichirô ! Ils souhaitent tous deux que le seigneur soit remplacé. Satô fait mine d'accepter le conseil de son frère. Il a besoin d'une pause.

Abandonnant sa pelle, il sort de l'enceinte de la tour pour se diriger vers le campement. Il entend beaucoup de soupirs et de grognements en chemin. Ichirô n'est visiblement pas le seul à trouver que le seigneur fait perdre leur temps à ses samouraïs. Heureusement, outre des pelles et autres outils, le seigneur leur a fait apporter des tentes. Depuis quelques jours, les guerriers ne dorment plus à la belle étoile, ce qui constitue un agréable changement.

Satô s'approche de l'endroit où l'on a regroupé les blessés. Durant la journée, on les sort des tentes et ils sont installés au grand air, afin que le soleil et le vent puissent chasser les mauvais esprits qui pourraient s'infiltrer dans leurs blessures. C'est au milieu des blessés qu'il rejoint Jitotsu. Ce dernier a reçu un coup de sabre à la cuisse durant la bataille. Un très mauvais coup. Les médecins qui voyagent avec l'armée ont réussi à refermer la plaie et ils devraient sauver sa jambe, mais il s'en est fallu de peu. Jitotsu a dit à Satô avoir reçu ce coup parce qu'il avait été distrait. Durant la bataille, alors qu'il avait l'impression de manquer d'énergie, il a profité d'une accalmie pour rengainer son sabre, planter ses pieds dans le sol et s'envoyer de l'air au visage en se raclant la gorge… Satô espère qu'il ne dira jamais à personne qui lui a montré à agir ainsi. Il espère aussi que la jambe de Jitotsu guérira et qu'on n'aura pas besoin de la lui couper. Des techniques magiques ! Quelle idée ridicule ! Satô ne se considère pas plus intelligent cependant, incapable comme il l'a été de laisser passer cette occasion d'enseigner des bêtises…

Jitotsu, ignorant qu'il a failli perdre sa jambe à cause d'une mauvaise farce, l'accueille en souriant. Il dépose le boisseau de paille de riz qu'il était en train de lier. Comme tous les blessés encore capables de se servir de leurs mains, il a reçu la tâche de préparer le chaume pour les toitures des pavillons en construction.

— Ah, Satô ! Dis-moi, les travaux vont-ils se terminer bientôt ? J'ai bien hâte qu'on retourne au village.

Satô hausse les épaules.

— Ça avance, mais c'est au seigneur qu'il faudrait poser la question. Je ne suis pas charpentier, moi !

Il réalise un peu tard qu'il vient de rabaisser le seigneur au rang d'un charpentier. Heureusement, ce n'est pas Jitotsu qui le dénoncera. Au contraire, le guerrier éclate de rire. C'est un son plaisant à entendre, énergique et sain. Ce bruit fait comprendre à Satô à quel point il est lui-même fatigué. Comment font les ouvriers qui travaillent toute l'année sur ce genre de chantier ?

Jitotsu s'empresse de répéter la repartie aux blessés qui l'entourent, ce qui donne des sueurs froides à Satô. Et si l'un de ces blessés allait la répéter au seigneur ou à l'un de ses gardes les plus fidèles ? Satô porte deux sabres. Il ne se sent pas plus vieux que le mois passé, mais il est considéré comme un adulte à présent. Et l'on ne pardonne pas aux adultes qui insultent le seigneur. Les autres blessés se mettent à rire eux aussi, calmant aussitôt ses angoisses.

— Takayama le bâtisseur ! s'esclaffe l'un des hommes, un certain Tochirô, en brandissant le moignon de son bras droit.

— Chut ! lui intime son voisin, un samouraï à un sabre, et désormais à un seul œil, dont Satô ignore le nom.

— Bah, reprend le premier, il serait fier d'un surnom pareil de toute façon.

Un troisième homme se joint à la conversation. Il s'appelle Shûgan, c'est un cousin éloigné de Shûgatsu.

— Le bâtisseur, c'est encore trop bon pour lui ! Qu'est-ce qu'on bâtit ici ? Une tour de guet pour une rizière ? C'est ridicule !

Tochirô approuve.

— En effet, mais comme c'est tout ce qu'il est capable de conquérir, il le protège comme un paysan protège son couteau de bronze.

— Dire que nous aurions pu attaquer le village de

Gokoro et l'écraser alors qu'il était vidé de ses guerriers !
Annexer le fief aurait ensuite été facile, peste Shûgan.

Le borgne fait une grimace comique, faussement épouvanté.

— Annexer une province ? Cela aurait été une mesure bien trop dure pour notre seigneur.

Il fait une pause, puis reprend.

— Allons, on ne s'étonnera pas qu'il n'ait qu'un seul héritier, hein ? Ou alors, on doit peut-être s'en étonner...

Les hommes éclatent à nouveau de rire, jusqu'à en avoir la respiration sifflante. Satô n'a pas compris la dernière farce et cela le met mal à l'aise. Le silence retombe. Les hommes échangent des regards entendus, mais chacun se tait. Satô n'ose pas poser de questions. Avec découragement, il se rend compte qu'il va devoir retourner travailler, malgré le soleil qui menace de le cuire sur place.

— Un peu d'eau ?

L'offre semble une bénédiction envoyée par les *kamis*. Leur messager n'est nulle autre que Yukié. Elle vient d'apparaître aux côtés de Satô. Elle tient une perche en travers de ses épaules et des seaux ruisselants pendent aux deux extrémités. Satô accepte la louche qu'elle lui tend, la plonge dans l'un des seaux et se régale. Il boit jusqu'à en avoir le ventre distendu. Il remplit ensuite la louche et la passe à Jitotsu. Tandis que Jitotsu boit, il remarque que le visage de sa sœur, déjà mince comme une brindille d'habitude, est tendu et amaigri.

— Ça va, Yukié ? lui demande-t-il.

29

SATÔ SEMBLE INQUIET. Yukié se force à lui sourire, même si elle a l'impression que la perche chargée de seaux lui écrase le dos. Après tous ces jours à porter ce fardeau, elle ne serait pas surprise d'avoir rapetissé! Elle est heureuse de faire sa part pour aider les samouraïs à construire la tour, mais elle est épuisée. L'obligation de veiller sur le sommeil du seigneur commence à lui peser. Elle dort, bien sûr, mais toujours d'un seul œil. S'il fallait qu'il lui arrive quelque chose durant la nuit, on ne le lui pardonnerait pas.

Son frère n'a pas l'air rassuré par son sourire. Il ne semble pas très en forme lui non plus. Satô, toujours le premier à faire des blagues, est pâle et sérieux aujourd'hui.

— Ne crois-tu pas que tu as l'air plutôt fatigué toi aussi, cher frère?

Il sourit enfin.

— Misaki serait fière de t'entendre parler aussi poliment, remarque-t-il.

Yukié lui tire la langue. Il a raison. À force de côtoyer le seigneur et les femmes de sa maisonnée, elle est en train de prendre l'habitude de s'exprimer comme une jeune fille de haut rang. Elle a résisté longtemps, trouvant toutes ces fausses questions ridicules, mais cela ne la dérange plus maintenant de se plier au jeu. C'est sûrement à cause des sabres à sa ceinture. Peu lui importe qu'on lui demande d'imiter les autres femmes, à présent. Elle sait qu'elle n'est pas comme elles. Elle est une guerrière.

Satô doit retourner travailler à la place forte et Yukié doit aller y porter de l'eau, aussi s'éloignent-ils ensemble du groupe de blessés. Ils marchent côte à côte, comme ils le faisaient tous les matins, avant la mort de leurs parents, pour se rendre à l'entraînement. À l'époque, Satô en profitait pour jacasser. Ses histoires drôles et ses imitations de leurs aînés manquent soudain à Yukié. Elle donnerait beaucoup pour l'entendre répéter les proverbes dont Grand-mère les abreuvait au déjeuner en leur servant leur bouillie de riz.

— Satô, tu n'as pas perdu ta langue en devenant adulte, n'est-ce pas ?

Elle s'attendait à ce que sa remarque provoque une réponse amusante. Satô se contente toutefois de hausser les épaules. Elle a l'impression que quelqu'un vient d'ajouter des briques dans ses seaux d'eau. Elle laisse la perche glisser de ses épaules. Les seaux répandent une partie de leur contenu en heurtant le sol. Peu lui importe. Son frère est plus important.

— Qu'est-ce que tu as ?

Satô s'est arrêté en entendant les seaux cogner sur le sol. La devançant de quelques pas, il ne lui présente que son dos. Elle se rend compte que c'est le dos d'un homme qu'elle contemple et non celui d'un garçon. Son frère s'est étoffé ces derniers mois. Sa longue carcasse toute en os, autrefois si semblable à la sienne, est en train de s'épaissir. Ses nouveaux muscles, surtout ceux de ses épaules, sont crispés.

Pendant un moment, elle a peur que Satô décide de continuer son chemin sans lui répondre. Il regarde le sol, pousse un caillou du bout de sa sandale. À gauche. À droite. Elle commence à envisager de lui vider un de ses seaux d'eau sur la tête pour l'obliger à réagir lorsqu'il finit par se tourner vers elle.

— Je ne sais pas de quoi je pourrais bien te parler, Yukié, lance-t-il.

La perplexité fait hausser les sourcils à Yukié.

— Tu as toujours parlé de tout et de rien, il me semble, non ? lui dit-elle.

— J'ai toujours parlé de choses qui venaient d'arriver, d'idées qui passaient…

— Et là tu as la cervelle vide ? Nous venons de vivre une guerre, Satô ! Je m'attendais à ce que tu imites le seigneur et chacun des vieux samouraïs jusqu'à ce que je ne sois plus capable de les regarder en face sans rire…

— Que j'imite le seigneur ? Pour que tu ailles lui raconter que je ne le respecte pas et qu'il m'ordonne de m'ouvrir le ventre ?

Ses mots la frappent, pires que des coups de sabre. Elle ne sait plus quoi dire. Elle ouvre la bouche. La referme. L'ouvre à nouveau. C'est son frère. Satô. Son compagnon de jeu. Il pense qu'elle le ferait tuer ? À cause d'une imitation malicieuse ? Comment peut-il croire cela? Elle n'a même pas dit au seigneur que sa famille projetait de le trahir!

Sauf qu'elle n'a pas non plus exécuté sa part du plan…

— Le seigneur ne t'ordonnerait pas de te suicider pour si peu, Satô.

C'est plus facile de lui dire ça. De ne pas parler des projets d'Ichirô et de Misaki. Satô se détend.

— Tu as probablement raison.

Il soupire, s'approche des seaux, boit une autre louche d'eau.

— Après tout, même si tu rapportais au seigneur ce que j'ai envie de te dire, ce ne serait peut-être pas une mauvaise chose, reprend-il après s'être essuyé la bouche.

Yukié attend la suite. Il regarde autour d'eux. Personne ne leur porte attention. Ils ne sont qu'un frère et une sœur, les plus jeunes samouraïs des environs, en train de discuter au milieu de la plaine, plantés là comme deux longues tiges de bambou.

— Les samouraïs disent que le seigneur est mou et faible. Que sa tour en est la preuve. Les hommes ne sont pas contents de trimer pour la construire. Ils sont tous convaincus que Takayama aurait dû poursuivre l'armée en fuite, aller écraser le village de Gokoro et prendre le contrôle de son fief.

Elle n'est pas surprise par les révélations de Satô. Elle a entendu certains gardes tenir le même discours. Mais elle a également entendu la réponse du seigneur.

— Gokoro est mort dans la bataille, Satô. C'est son fils qui règne sur le fief à présent. Or, le fils n'a pas perdu de batailles contre le seigneur. Son honneur à lui est sauf. Si on le laisse tranquille, il pourrait décider qu'il n'est pas incommodé par la perte de la rizière. Il pourrait accepter de faire la paix avec notre province. Le seigneur lui a déjà envoyé un messager pour conclure une entente.

— Encore des histoires de paix, grogne Satô.

Elle rit, parce que son frère réagit exactement comme elle l'aurait fait quelques mois plus tôt.

— Le seigneur te dirait que tu es bien un fils des Hanaken pour parler ainsi.

Il secoue la tête.

— Les samouraïs sont des guerriers, Yukié. À quoi est-ce que nous servirions dans une province en paix ?

Sa question est juste. Elle réfléchit un instant.

— Nous... nous servirions à la conserver, cette paix, Satô. Je suis sûre que nous finirions par nous battre encore. Ce serait simplement moins souvent.

Elle s'arrête avant de prononcer les mots qui lui viennent ensuite à l'esprit... puis elle comprend que si elle ne peut pas les dire à Satô, elle ne pourra jamais les dire à personne.

— Satô, je n'ai pas aimé la guerre que j'ai vue. Je repartirais en guerre demain matin s'il le fallait, mais je n'ai pas aimé cela. L'as-tu aimée, toi ?

Il hésite avant de répondre, mais il finit par secouer la tête.

— Non, avoue-t-il. J'ai eu peur pour toi, pour Ichirô... Je n'ai pas eu peur pour Jitotsu, mais j'aurais dû. Je ne sais pas comment j'aurais pu consoler Nanashi si son père avait été tué. « La vie n'est qu'une fleur de cerisier », c'est plus beau dans les poèmes que dans la réalité.

En entendant Satô, Yukié doit battre vivement des paupières pour ne pas pleurer. Elle savait que son frère ne pouvait que penser comme elle.

— Père voulait la guerre, Satô. Le seigneur Takayama veut l'éviter lorsqu'il le peut.

Il hoche la tête, mais il n'a pas l'air d'accord pour autant.

— Je comprends, Yukié, mais après avoir vaincu la majorité de l'armée, nous aurions dû continuer. Le gros du travail était fait. Le village n'avait presque plus de combattants.

— Pas de combattants? Voyons, Satô, si notre armée s'en était prise aux maisons, toutes les femmes se seraient jointes aux hommes pour les défendre! Ils auraient été aussi nombreux que nous, sinon plus!

Satô a un reniflement condescendant.

— Bah, ce n'aurait été que des femmes.

Elle est furieuse. « Que » des femmes! Elle commence à dégainer son *katana*. Elle a envie de montrer à son frère qu'il y a au moins une femme qui l'a toujours battu!

En voyant les yeux écarquillés de Satô, elle se rappelle que le sabre sur lequel elle a posé la main n'est pas un sabre d'exercice en bois. Elle est une guerrière maintenant, avec deux épées d'acier à sa ceinture. C'est son frère qui est devant elle. Son frère qu'elle allait attaquer. Son frère. En pagne. Sans armes. Le temps semble se figer. Le pire, c'est qu'il a raison. La plupart des femmes ne sont pas de taille à affronter des samouraïs. Elles ne savent pas se battre, parce qu'elles n'aiment pas s'y entraîner. Une bourrasque de vent effleure Yukié, soulevant ses cheveux, lui fouettant le visage, balayant au loin sa colère. Elle frissonne soudain, glacée de la tête aux pieds.

Ô *kamis*, pardonnez-moi!

Elle éloigne sa main de la poignée de son sabre. L'épée glisse et reprend sa place, bien au fond du fourreau. Yukié s'efforce de calmer sa respiration et de reprendre le contrôle d'elle-même. La colère l'a aveuglée, maintenant la peur la fait trembler. La peur de ce qu'elle aurait pu faire.

Satô lève les mains comme un samouraï qui se rend. Il ne dit rien. Yukié non plus. Ils ne sauraient pas quoi dire. La colère de Yukié s'est effacée. La peur s'éloigne peu à peu. Après un moment, Satô hausse les épaules, comme pour signifier que rien de ce qui vient de se passer n'est important. Yukié l'imite. Il se détourne et repart travailler à la place forte. Elle attend plusieurs minutes avant de replacer la perche sur ses épaules et de le suivre.

30

LES SEMAINES ONT PASSÉ. L'été a connu son apogée et bascule lentement vers l'automne. Les samouraïs sont revenus au village et tout le monde a repris ses habitudes. Jusqu'à ce soir.

Ce soir, Ichirô a invité sa fratrie chez lui. Satô trouve étrange de se retrouver avec son frère et ses sœurs dans la maison où ils ont grandi. L'endroit n'est déjà plus tout à fait le même. Kiku, l'épouse d'Ichirô, y a installé des calligraphies et un paravent peint qui lui vient de sa famille. Il n'y a plus de matelas en équilibre sur les poutres de la pièce principale. Ichirô et son épouse occupent à présent la chambre qui était celle de Père et Mère. La femme qui a donné la vie à Satô dort toujours près du feu, dans la cuisine. Elle sert Kiku comme elle a servi Mère. Grand-mère a toujours ses quartiers dans la seconde chambre de la maison. Elle en sort de moins en moins. Cependant, ce soir, elle s'est jointe à ses petits-enfants.

Ils sont assis en cercle sur les *tatamis* de la pièce principale. Grand-mère, Ichirô, Kiku, Misaki, Yukié… Tous les Hanaken sont là. Misaki et Ichirô traitent Yukié avec froideur. Satô a l'impression que, s'ils l'avaient pu, ils ne l'auraient pas invitée. Mais c'était impossible. En plus d'être une grave insulte, cela aurait porté malheur.

Il y a un véritable festin sur la table et des lanternes de papier sont suspendues à toutes les poutres. Grand-mère remet gravement à Kiku la première boulette de riz rouge, emballée dans une feuille de chêne comme lorsqu'on célèbre la fête des garçons. Kiku la prend avec un sourire et la mange avec appétit, sans en laisser tomber une miette. C'est un bon présage. Ichirô a l'air satisfait. Il fait signe aux autres de commencer à manger.

La nourriture est délicieuse. Satô dévore les plats, surtout ceux de viande, car il n'y en a pas souvent au menu. Il remarque que Kiku engloutit des portions comparables aux siennes. Il suppose que c'est normal. Elle est petite et délicate, mais son ventre commence à s'arrondir. C'est d'ailleurs à cause de ce gros ventre que les Hanaken se sont réunis ce soir. Kiku porte l'enfant d'Ichirô. Le bébé va naître dans environ cinq mois. Le mariage d'Ichirô avec Kiku est un succès : ce soir, tous célèbrent l'entrée de Kiku dans leur famille. En échange de l'enfant qu'elle va donner à Ichirô, il lui est accordé le droit de porter le nom Hanaken.

Les membres de la famille parlent peu en mangeant. Ichirô regarde Kiku avec un air aussi fier que lorsque son père lui a donné son premier *katana*. Misaki grignote à peine. Elle a les lèvres pincées, comme lorsqu'elle est fâchée. Satô a l'impression qu'elle est jalouse. Son ventre à elle est toujours plat. La famille de Shûgatsu ne lui a donc pas offert de changer de nom. De toute façon,

l'aurait-elle fait? Elle est si fière d'être une Hanaken...
Yukié fixe tantôt son assiette, tantôt le ventre de Kiku.
De temps en temps, son regard croise celui de Satô et
elle cligne des paupières comme pour lui dire quelque
chose. Il ne sait pas de quoi il pourrait s'agir. Il le lui
demandera plus tard, discrètement.

Pour sa part, Satô admire les sabres. Ses épées,
celles de Yukié et celles d'Ichirô sont placées sur des
supports près de l'entrée. Elles offrent un beau spectacle, toutes les six. La lueur des lanternes de fête se reflète
sur leurs fourreaux laqués. Il n'y a que deux choses dans
la pièce qui brillent et reluisent : les sabres et les kimonos soyeux des femmes. Les *katanas* et les *wakizashis*
sont cependant les véritables trésors. Alors que la soie
s'use, les sabres durent et se lèguent de génération en
génération. Un jour, l'enfant qui est dans le ventre de
Kiku brandira le *katana* d'Ichirô.

Après le repas, les membres de la famille sortent
s'asseoir sur la galerie à l'arrière de la maison pour profiter de la fraîcheur de la nuit et de la beauté du jardin de
pierres au clair de lune. Kiku leur sert du *saké* et du thé.
Après avoir bu un moment en leur compagnie, Kiku et
Grand-mère, fatiguées, se retirent.

Après leur départ, l'ambiance s'alourdit. Si Ichirô et
Misaki avaient des arcs à la place des yeux, Yukié serait déjà
transpercée de part en part. Satô ne sait comment détendre l'atmosphère. Finalement, n'y tenant plus, il décide de
prendre la parole et d'aborder le problème de front.

— Je crois que nous ne sommes pas de très bons
conspirateurs.

Misaki se tourne aussitôt vers lui, avec l'air d'un
chien dressé pour l'attaque à qui l'on vient enfin de
donner la permission de mordre.

— C'est qu'il y en a parmi nous qui ne font pas leur part du travail, n'est-ce pas ? crache-t-elle.

Ichirô, plus posé, ricane.

— Nous sommes encore en vie, alors nous ne devons pas être si mauvais.

— Quoiqu'avec ce seigneur-là, nous ne serions peut-être pas morts, même s'il savait tout, n'est-ce pas ? grogne Misaki.

— Va dire cela au fantôme de notre père ! rétorque Ichirô.

Satô voit Yukié se mordre les lèvres. Elle fixe obstinément le jardin, dont la surface de gravier soigneusement ratissée fait penser à un lac agité de vaguelettes. Satô attend qu'elle explique à leurs aînés ce qu'elle lui a raconté l'autre jour, à propos du seigneur et de la guerre. Toutefois, le temps passe et elle reste silencieuse. Manquerait-elle du courage nécessaire pour leur parler ? Yukié, effrayée par quelque chose de plus petit qu'une armée ? Satô a peine à y croire.

— Je crois, dit-il finalement avec l'impression de commettre un acte de bravoure, que nous avons peut-être eu une mauvaise idée avec cette histoire de conspiration.

En voyant les visages d'Ichirô et de Misaki se tordre de colère, il se rend compte qu'il a effectivement été très audacieux. Il bafouille le reste de son explication.

— Notre père... heu... notre père n'avait peut-être pas des objectifs très... très honorables, vous savez. Il voulait prendre la place du seigneur pour... pouvoir ensuite faire la guerre contre Gokoro.

Un silence glacial accueille ses paroles. À l'expression de Misaki, on dirait que Satô vient de lui agiter du crottin de cheval sous le nez. Au bout d'un moment,

Ichirô se tourne vers elle et lui parle comme si Satô n'était pas là.

— On voit bien qu'il n'est qu'à moitié notre frère.

Satô en reste bouche bée. Il est le fils d'une concubine, d'accord, mais ils ont le même père et c'est ce qui importe pour appartenir à une famille! D'où vient cette histoire de moitié?

Il cherche le regard de Yukié. Elle lui adresse un sourire triste et n'a pas l'air surprise du tour que prend la soirée.

— Le seigneur est un bon seigneur, articule-t-elle lentement. Père a eu tort de vouloir le remplacer et il est mort pour cette raison.

Misaki, énervée, reprend sa figure de chien prêt à mordre.

— Tais-toi, fille indigne! Ne vois-tu pas que tes paroles trahissent la mémoire de Père, ainsi que toute cette famille? Ne sais-tu pas où est ton devoir? Tu devais lui trancher la gorge! Traîtresse!

Yukié déglutit, comme si elle avalait tant bien que mal les insultes de Misaki, puis elle répond d'une voix calme, mais qui tremble un peu. Satô ne sait si c'est de peur, de colère ou de tristesse.

— Depuis la mort de Père, Ichirô et toi ne parlez que de notre devoir envers notre famille, n'est-ce pas? Pourtant un samouraï doit aussi servir son seigneur. Alors, de nous deux, ne me diras-tu pas qui est la traîtresse?

Misaki bondit sur ses pieds, une main levée pour gifler Yukié. Ichirô saisit un pan de son kimono et l'empêche de s'approcher de leur jeune sœur.

— Calme-toi, Misaki, lui dit-il.

Puis il poursuit, tandis que Misaki se rassoit rageusement.

— Notre père voulait augmenter le prestige de notre famille, Yukié. Peu importe le moyen qu'il avait choisi. Regarde où nous en sommes à présent. Nous sommes tombés plus bas que jamais ! Nous n'avons plus de cheval, je ne suis pas le maître d'armes… Nous devons poursuivre l'œuvre de notre père. Nous n'avons pas le choix. Nous ne pouvons pas accepter une telle déchéance ! Pense à l'honneur du nom des Hanaken. De ton nom.

Yukié secoue la tête.

— Le prestige perdu peut se gagner à nouveau. Autrement.

Cette idée ne semble pas plaire à Ichirô. Il a presque l'air triste en lui répondant.

— Si tu n'es pas prête à faire ton devoir pour ta famille, Yukié, pars maintenant.

Elle n'hésite même pas avant de se lever. Comme si elle avait deviné ce qu'Ichirô dirait. Elle s'incline devant lui avant de quitter la galerie. Satô l'entend traverser la maison. Au loin, la porte coulisse avec un chuintement, puis claque en se refermant. Yukié est partie.

Satô n'arrive pas à le croire. Ichirô a chassé Yukié de la demeure où se trouve l'autel de leurs ancêtres ! Il n'a même pas le temps de saisir toute la portée de cette décision que c'est à son tour d'être l'objet de l'attention de son frère aîné.

— Et toi, Satô, feras-tu ton devoir envers ta famille ?

Il aimerait dire oui sans hésiter. Cependant, il doute. Depuis que Yukié lui a fait voir tous les bons côtés de leur seigneur actuel, il n'a plus tellement envie de le voir mourir. Mais il n'a pas non plus envie de voir sa famille perdre tout son prestige. Ni d'être chassé comme un paysan malpropre.

— Pas à n'importe quel prix, Ichirô.

Tandis que Misaki murmure une insulte, Ichirô soupire.

— Alors tu ferais mieux de nous quitter toi aussi, Satô. Pour ce soir.

Satô se lève péniblement, avec l'impression que le sabre qui a ouvert le ventre de son père a également coupé sa famille en morceaux. Il quitte la galerie, entre dans la maison, récupère ses sabres, les glisse à sa ceinture, puis sort dans la nuit. En définitive, il ne s'en tire pas tellement mieux que Yukié.

31

C'EST JOUR D'AUDIENCE aujourd'hui. Yukié est à sa place, sur les *tatamis* de la grande salle de réception, non loin du seigneur qui accueille ses samouraïs venus le saluer ou lui présenter des demandes. Il y a quelques paysans parmi les visiteurs du jour. Ils sont craintifs, mais semblent moins terrorisés que lorsqu'ils doivent parler avec certains des guerriers du village. Ils savent que le seigneur va les écouter avec bienveillance.

L'un après l'autre, les visiteurs sont introduits dans la pièce. Ils laissent leurs armes à l'entrée, s'inclinent, s'avancent, s'inclinent de nouveau. Après leur avoir donné la permission de parler, le seigneur les écoute, accepte ou rejette leurs requêtes, puis demande à ce qu'on fasse entrer le visiteur suivant.

Tout cela est long, répétitif et ennuyeux. Jusqu'à ce que, interrompant la tirade d'un samouraï qui désire divorcer de sa femme infertile, le moine qui sert de secrétaire au seigneur entre brusquement dans la salle par l'une des petites portes de côté et vienne murmurer à l'oreille de Takayama. Le seigneur ne change pas d'expression, mais, après avoir renvoyé le mari déçu avec la promesse de prendre sa demande en considération, il adresse un signe de tête à Yukié et aux autres gardes présents dans la salle.

Yukié et les gardes se rapprochent du fond de la pièce, où le seigneur est assis sur son coussin de soie. Son secrétaire, dont le crâne rasé reluit de sueur, leur explique la situation d'une voix que l'énervement fait trembler.

— Il y a un messager du fief de Gokoro sur la galerie. Il demande à être reçu en audience.

Yukié entend quelques gardes murmurer. Ils se rappellent tous la manière dont s'est terminée la dernière audience d'un messager de Gokoro. Yukié sent le seigneur poser son regard sur elle. Elle porte un *hakama* d'homme et un kimono de coton. La tenue d'un guerrier, pas celle d'une femme inoffensive. Elle devine les intentions de son seigneur avant qu'il ne les formule.

— Demandez à une servante d'apporter un kimono de femme, dit Takayama au secrétaire.

Ce dernier rougit, mais hoche la tête. Yukié s'apprête à le suivre hors de la pièce, mais le seigneur l'arrête d'un geste. Il commence à donner des instructions aux gardes, leur assignant de nouvelles places afin de s'assurer que les meilleurs combattants seront près de l'endroit où se tiendra le messager. Une servante arrive en courant avec un kimono. Ce n'est pas l'un de ceux de Yukié, il est beaucoup trop richement brodé. Il doit appartenir à Dame Bei ou à Dame Akiko, dont les appartements sont plus proches. Peu importe. Ce n'est pas le moment de poser des questions.

À nouveau, Yukié veut quitter la pièce. À nouveau, le seigneur lève la main pour l'en empêcher. La servante commence à tirer sur les cordons du *hakama* de Yukié pour le dénouer. Elle lui attrape le poignet. Si cette servante pense qu'elle va se changer ici, au milieu des gardes et sous les yeux de son seigneur, elle est folle.

— Combien de temps te faut-il pour passer un kimono, fille des Hanaken? gronde soudain la voix de Takayama.

Le visage de Yukié devient brûlant. Pourquoi le seigneur lui demande-t-il cela? Ils ne sont quand même pas si pressés par le temps. Elle pourrait au moins aller dans le corridor, s'éloigner des hommes, de Yamaki… La servante échappe à la prise de Yukié et s'empresse de dénouer son *hakama*. Les désirs du seigneur sont clairs, alors la servante les exécute. Malgré elle, Yukié se dévêt au milieu de la pièce, rouge de honte et d'humiliation. Parce que son seigneur le veut ainsi. La servante l'aide à revêtir la lourde étoffe de soie et à attacher la large ceinture. Le *wakizashi* de Yukié est trop long pour être caché dans sa manche. Elle réclame un poignard d'une voix que la gêne rend trop aiguë. Une seconde servante le lui apporte, ainsi qu'un plateau où sont disposés deux tasses et un flacon de *saké*. Le poignard disparaît dans la manche du somptueux kimono. L'une des servantes arrache le ruban qui retenait les cheveux de Yukié sur sa nuque et passe brutalement un peigne dans sa crinière emmêlée pour lui rendre un aspect respectable.

Sans oser lever les yeux des *tatamis*, Yukié prend place auprès du seigneur. Son changement de vêtements a été si brusque qu'elle a l'impression d'être déguisée.

Le seigneur Takayama lui adresse un hochement de tête approbateur. Son contentement ne suffit pas à chasser la honte de Yukié. Comme la fois précédente, le seigneur place son *wakizashi* devant les genoux de Yukié, puis il frappe sur un petit gong pour signaler qu'il est prêt à recevoir le visiteur suivant, le messager.

Les portes principales de la salle coulissent. Un homme seul les franchit, puis s'incline. Yukié voit les postures des gardes se détendre. Ce messager-ci est venu sans escorte. Il représente déjà un danger bien moindre. De plus, il est petit et malingre. Il n'a pas l'allure d'un combattant.

Il s'avance et prend place devant le seigneur. Yukié sert le *saké* avec toute l'élégance et la délicatesse dont elle est capable. L'homme observe ses gestes avec un sourire qui lui semble visqueux et adresse au seigneur un clin d'œil appréciateur. Elle se sent remplie de dégoût. Pourvu qu'il tente de s'attaquer à Takayama! Elle a envie de le frapper, celui-là!

Son souhait ne semble toutefois pas devoir se réaliser. Après avoir porté un toast à la santé du seigneur, le messager extrait, avec une prudente lenteur, une liasse de papiers de sa ceinture.

— Seigneur Takayama, voici la réponse de mon jeune seigneur Gokoro à votre généreuse offre de paix. Ne voulant pas répéter les erreurs de son illustre père, mon jeune seigneur accepte avec joie vos conditions. Il est vrai que la rizière est sur vos terres. Il a d'ailleurs retrouvé dans ses archives familiales d'anciens documents le prouvant.

— Des documents? dit Takayama.

Il faut bien le connaître pour deviner qu'il est un peu surpris par la révélation. Sa voix est parfaitement neutre, mais il a haussé les sourcils.

— Les a-t-il envoyés avec sa réponse ? questionne-t-il.

Le messager secoue la tête.

— Mon cher jeune seigneur a préféré les garder afin de ne pas oublier qui est le véritable propriétaire de la rizière. Il ne voudrait pas être tenté à son tour de se battre pour ce petit territoire si difficile à défendre et à cultiver.

Takayama sourit au messager et porte un toast à la santé du jeune seigneur de Gokoro. Yukié devine que cette histoire de preuve ancienne est fausse. Le nouveau seigneur de Gokoro l'a inventée afin de ne pas avoir l'air d'accepter des conditions imposées par Takayama. Il ne veut pas perdre la face. C'est aussi pour cette raison que le messager dénigre la rizière. Elle n'est ni petite, ni si difficile à cultiver. Cependant, pour sauvegarder l'honneur de son seigneur, il est bon qu'il le prétende. Takayama se prête au jeu de bonne grâce. Après tout, avec la rizière et la promesse de paix, il a enfin obtenu ce qu'il désirait depuis longtemps.

— J'avais également demandé une faveur à votre maître, je crois, dit Takayama.

— Oui, acquiesce le messager, j'allais l'oublier ! Afin que votre fils ait un compagnon de jeu de son âge et de son rang, la jeune sœur de mon seigneur viendra vivre sous votre toit. Il nous fait grand plaisir de savoir qu'elle sera élevée dans une demeure où l'on trouve déjà des dames de grande qualité !

Yukié s'efforce de prendre un air intimidé en entendant ce compliment qui lui est visiblement destiné. Elle arrive presque à s'en amuser. Elle ne croit pas que les dames de grande qualité changent souvent de vêtements devant une salle pleine de gardes ! Le seigneur et le messager se livrent à une merveilleuse joute. Malgré les histoires dont ils enrobent les faits, il est clair que la sœur cadette du seigneur de Gokoro servira en réalité d'otage au clan Takayama, afin de garantir le respect des termes de l'entente qui vient d'être conclue. Yukié devait elle aussi servir d'otage pour garantir la loyauté des Hanaken… Elle espère que cette enfant sera un meilleur otage qu'elle-même!

Tandis que ses pensées vagabondent, le messager et le seigneur terminent leur discussion. L'homme du clan Gokoro s'incline bien bas avant de se retirer. Puisque les audiences prévues pour la journée sont terminées, Yukié s'apprête à demander la permission de quitter sa place pour aller remettre ses vêtements habituels lorsque le secrétaire surgit à nouveau. Cette fois, elle est placée suffisamment près de Takayama pour entendre ce que le moine lui murmure.

— Dame Hanaken Misaki demande audience, mon seigneur.

Yukié reste bouche bée. Misaki? Que peut-elle bien vouloir? Qu'est-ce que ses frères et elle peuvent bien mijoter? D'un hochement de tête, le seigneur accepte. Un petit coup de gong résonne, les portes s'ouvrent et Misaki entre.

La sœur aînée de Yukié est magnifique. Ses traits ont la délicatesse de ceux des poupées et on dirait qu'elle glisse sur les *tatamis* au lieu d'y marcher. Les samouraïs la suivent d'un regard appréciateur tandis qu'elle vient s'agenouiller devant le seigneur. Elle s'incline jusqu'à ce que son front touche le sol. Yukié sent tous ses muscles se crisper. Elle examine les manches du kimono de Misaki. La droite semble alourdie. Y a-t-elle caché un poignard? Ou n'est-ce qu'un éventail? Elle n'oserait quand même pas attaquer le seigneur

en public! Elle sait bien qu'elle n'est pas assez habile avec une lame pour réussir son coup...

— N'aurais-je pas entendu dire que mon illustre seigneur vient de conclure une entente de paix avec le seigneur de Gokoro? gazouille Misaki lorsque le seigneur lui demande la raison de sa visite.

Takayama acquiesce. Yukié ne sait pas s'il est surpris de voir que Misaki est si bien informée, mais elle-même n'en revient pas. Comment Misaki a-t-elle appris aussi rapidement l'arrivée du messager et la teneur de son message? A-t-elle un informateur parmi les samouraïs laissés à la tour qui garde la rizière? Ou alors un message envoyé par pigeon voyageur a-t-il été intercepté?

— Je ne voudrais pas me tromper, illustre seigneur, mais j'ai cru comprendre que le seigneur de Gokoro est un jeune homme en âge de se marier, mais dépourvu d'épouse, est-ce le cas?

À nouveau, le seigneur répond d'un signe de tête. Où Misaki veut-elle en venir?

— N'ai-je pas entendu dire qu'une alliance de paix est plus facile à conclure à l'aide d'un mariage qu'à l'aide de mots, honoré seigneur?

Un mariage? Pourquoi Misaki parle-t-elle de mariage? Elle a déjà un époux, dont le rang est presque aussi élevé que celui du seigneur. Voudrait-elle divorcer et devenir l'épouse du seigneur de Gokoro, puisqu'il semble bien que les Hanaken ne régneront jamais sur le fief du clan Takayama?

— En effet, Hanaken Misaki, répond Takayama, un mariage scelle solidement les alliances. Cependant, comme vous le savez, je n'ai pas de fille à offrir comme épouse au seigneur de Gokoro.

— Pardonnez-moi, mon illustre seigneur, mais

n'oubliez-vous pas un tout petit détail ? Vous avez à vos côtés une fille que vous traitez comme la vôtre depuis des mois, n'est-ce pas ? N'est-il pas évident qu'il ferait plaisir à la maison des Hanaken de vous laisser la marier de façon à servir notre clan ? Gokoro n'en serait-il pas honoré ?

Yukié ne peut pas retenir une exclamation étranglée. Ce serpent de Misaki ! Cette dernière sourit à Yukié en voyant à quel point ses propos l'ont secouée. Yukié tremble. Son corps se couvre de sueur. Pourtant, elle a froid. Elle comprend parfaitement le plan de Misaki : en mariant Yukié au seigneur de Gokoro, elle prive le seigneur d'un garde du corps discret et efficace, en plus de s'assurer que Gokoro considérera la famille Hanaken comme ses alliés, quoiqu'il advienne.

La machination de Misaki semble si évidente à Yukié qu'elle est surprise d'entendre le seigneur lui répondre d'un ton intéressé.

— Votre proposition est astucieuse, Hanaken Misaki. Je vais y réfléchir.

Il n'y a pourtant pas matière à réflexion ! Il ne va quand même pas vendre Yukié ainsi ? Elle est utile à ses côtés... et elle ne vaudrait rien comme épouse !

Incapable de supporter la vue de Misaki ou du seigneur, Yukié laisse son regard errer sur la salle... et croise les yeux de Yamaki. Aucun sourire ne les plisse. Il a l'air choqué, désespéré... Exactement l'expression qu'elle doit arborer en ce moment... mais elle ne veut même pas penser aux raisons du désespoir de Yamaki. Sa vie est déjà assez complexe pour le moment ! Et Misaki s'acharne à la compliquer davantage.

— Peut-être pourrais-je un soir prochain préparer le

thé pour mon seigneur ? Nous aurions ainsi le loisir de discuter à tête reposée de ma proposition, n'est ce pas ?

Yukié n'en revient pas de l'audace de Misaki. La voilà qui invite Takayama à une cérémonie du thé. Certes, Misaki a la réputation d'être une excellente hôtesse pour le thé, mais une femme mariée n'invite pas un homme à une cérémonie. Après tout, ils seront seuls tous les deux dans le pavillon de thé…

Seuls. Détendus par le rituel du thé, sans méfiance. N'importe qui pourrait surgir et trancher la gorge du seigneur. N'importe qui. N'importe quel samouraï. Mais surtout Ichirô… ou même Satô.

Le seigneur accepte l'invitation de Misaki et lui signifie que l'entretien est terminé. Alors que sa sœur se dirige vers la sortie, Yukié attire l'attention de son seigneur.

— Ne me permettriez-vous pas d'échanger quelques mots avec ma sœur avant son départ ?

Le seigneur regarde Yukié, s'attarde sur ses yeux, son visage. Il remarque sans doute sa pâleur, les gouttes de sueur sur son front. Et quoi d'autre ? Mystère. Il lui donne sa permission d'un geste.

Elle s'efforce de ne pas courir pour rattraper Misaki, mais elle marche beaucoup plus vite que la politesse ne le voudrait. Elle la rejoint sur l'une des passerelles couvertes qui mène du bâtiment principal de la demeure aux pavillons secondaires situés près de l'entrée du domaine. Comme elles sont seules et que Misaki n'a pas à sauvegarder les apparences, elle ne s'arrête pas lorsque Yukié crie son nom. Yukié accélère donc encore le pas et finit par saisir la manche du kimono de Misaki, ce qui force celle-ci à se tourner vers elle et à écouter ses questions.

— Tu veux vraiment me marier à Gokoro ou c'est

seulement un prétexte pour rencontrer Takayama seule à seul et le tuer? C'est ça, hein? Tu veux toujours l'éliminer? Qui lui ouvrira la gorge? Ichirô? Satô? Ou tu penses pouvoir le faire toi-même?

Yukié est énervée, haletante. Devant elle, Misaki ressemble à un morceau de glace ou à une pierre polie.

— Tu n'as pas voulu agir en Hanaken, alors tu n'auras pas les secrets des Hanaken, annonce-t-elle.

Yukié lâche la manche du kimono. Au fond, elle a sa réponse. Si Misaki avait l'intention de laisser vivre le seigneur, elle le lui dirait, car elle n'aurait rien à cacher.

— C'est notre seigneur, Misaki. Il nous a laissés vivre après la trahison de Père.

— Il a ordonné à notre père de se suicider, Yukié. Notre famille ne peut pas lui pardonner.

— Moi, je lui pardonne. Père n'avait pas le droit d'agir comme il l'a fait.

— Tais-toi, traîtresse! crache Misaki.

Par habitude, Yukié lui obéit. Sa sœur replace son kimono, en lisse les plis, s'assure que l'énervement n'a pas dérangé sa coiffure, puis elle observe sa cadette avec une moue amusée.

— Tu es toujours trop maigre et trop grande, Yukié, mais ce kimono te va bien. Il te donne l'air d'une vraie dame, ne trouves-tu pas? Ton mariage avec le seigneur de Gokoro sera bon pour l'honneur des Hanaken, peu importe quels autres événements surviendront.

Yukié ne sait pas quoi dire. Évidemment, si elle épouse un seigneur, cela sera profitable pour sa famille. Cependant…

— Réjouis-toi, lui lance Misaki en s'éloignant, avec ce mariage toi, au moins, tu as encore une utilité pour nous.

Yukié la laisse partir. Elle doit réfléchir. Seule et

en silence. Si elle ne prévient pas Takayama des plans de Misaki, il risque d'être assassiné. Si elle dénonce Misaki, Ichirô et Satô, ce sont eux qui mourront. La situation est horriblement simple : il est temps qu'elle choisisse, une fois pour toutes, entre sa famille et son seigneur. Il y a toutefois une grande différence entre une situation simple et un choix aisé.

32

SATÔ OUVRE LES YEUX dans l'obscurité, sans savoir ce qui l'a réveillé. Nanashi dort sur son matelas de l'autre côté de la chambre. Sa respiration est calme. Peut-être a-t-il fait un cauchemar et gémi? Ou alors peut-être est-ce Jitotsu, dans la chambre voisine, qui s'est plaint dans son sommeil? Sa jambe guérit bien, mais elle est encore très douloureuse.

Satô aimerait se rendormir, mais il n'y arrive pas. Tout son corps est en alerte, comme s'il se préparait à combattre. Quelque chose l'a tiré du sommeil. Quelque chose d'inquiétant. Il tend désespérément l'oreille. Il scrute la noirceur de la pièce. Il ne voit rien. Il n'entend rien. Rien d'autre que son cœur qui bat trop fort et son souffle irrégulier. Il essaie de retenir sa respiration, histoire d'être le plus silencieux possible. Peine perdue : son cœur se met aussitôt à cogner encore plus fort.

À tâtons, il trouve son *wakizashi*. Il le pose toujours

près de son oreiller en se couchant, mais il finit souvent par le pousser en bougeant dans son sommeil. Pas ce soir. Le voilà, exactement là où il l'avait laissé. Il pose la main sur le fourreau lisse et frais. Quoi qu'il advienne, il est armé et prêt à se défendre.

Un craquement! Il se redresse à demi. À nouveau, il écoute de toutes ses forces. Son cœur, son souffle, le souffle de Nanashi… Rien d'autre. Rien de rien. Ah si, un froissement de tissus dans l'autre pièce alors que Jitotsu ou sa femme se retourne sur leur matelas. Il n'y a rien d'anormal. Ses yeux commencent à s'habituer à l'obscurité. Il voit les contours des formes, les limites de la pièce. La nuit devient moins opaque, moins angoissante. Il entend un autre craquement, mais il le reconnaît aussitôt: c'est l'une des poutres de la maison qui fait toujours un peu de bruit lorsqu'il vente. Le premier craquement avait probablement la même origine.

Il se laisse retomber sur son matelas, son *wakizashi* toujours à la main. Il s'est encore inventé des peurs avec des riens. Il a probablement fait un cauchemar juste avant de s'éveiller. Il respire profondément. Il sent son corps se détendre. Il va garder son *wakizashi* à la main, tiens. Ça le rassure de le savoir là. Il sent sa tête s'alourdir. Ses yeux se ferment tout seuls…

La porte de la chambre s'ouvre avec un claquement sec, semblable au bruit d'une flèche qui frappe sa cible. Satô ouvre les yeux au moment où une forme noire se précipite vers lui. Il devine une silhouette humaine et il distingue un bras, prolongé par une lame, qui plonge vers sa gorge.

Il interpose le *wakizashi* encore dans son fourreau et quelque chose le frappe si durement qu'il entend le bois de la gaine se fendre. Il repousse son adversaire des deux pieds et il essaie de se lever. Son *wakizashi* lui est arraché des mains. Il donne un coup de pied... Dans le vide! L'intrus a reculé, il marche sur Nanashi. Celui-ci se réveille avec un cri de surprise.

Satô hurle à son tour en bondissant sur ses pieds. Il voit à peine son adversaire dans l'obscurité de la chambre. L'autre doit être tout vêtu de noir. Satô entend parler dans la pièce voisine. Les cris ont tiré Jitotsu du sommeil. Pendant une seconde, Satô espère qu'il va venir à sa rescousse, puis il se rappelle : Jitotsu se déplace en béquilles. Il ne lui serait d'aucune utilité.

Un mouvement devant lui. Satô devine que l'homme a levé son bras pour lui porter un nouveau coup. Il plonge pour l'éviter, d'abord vers la gauche, puis il poursuit sa roulade pour venir percuter des jambes. L'homme heurte le mur et s'effondre sur le matelas de Nanashi. Où est Nanashi ? Là, à la droite de Satô, il s'éloigne à quatre pattes. Où est le couteau de l'inconnu ? Satô ne sait plus.

L'assaillant remue. Satô s'éloigne précipitamment de lui, à demi accroupi. Pas assez rapidement. Il sent une vive douleur. Le couteau vient de lui entailler l'épaule droite. Il jure. Où est son *wakizashi* ?

L'inconnu bondit sur ses pieds. Il domine Satô et il a son couteau. Une arme, il lui faut une arme ! Satô empoigne un coin de son mince matelas, prêt à l'utiliser pour bloquer le prochain coup, peut-être pour aveugler son assaillant… Comment celui-ci fait-il pour se battre si bien alors que Satô, lui, ne le voit pas ? Le visage et les mains de son adversaire devraient apparaître comme des taches claires dans le noir, mais ce n'est pas le cas. Qu'est-il en train d'affronter ?

Des pas et des claquements résonnent devant la porte de la chambre. Jitotsu arrive. Non ! Il va se faire

tuer! Satô lance le matelas à la tête de son adversaire et profite de l'instant de confusion pour se lever. Le matelas tombe au sol. L'inconnu bouge, il attaque à nouveau. Où est le couteau? D'où viendra le coup?

Satô entend le bruit humide, écœurant, qu'il a appris à reconnaître durant la dernière bataille : le bruit d'une lame qui pénètre profondément dans la chair. Une voix basse, rauque, une voix d'homme, laisse échapper une exclamation étranglée.

Soudain, la lumière éclabousse la scène. Jitotsu se tient dans l'encadrement de la porte, une lanterne allumée à la main. La chambre est en pagaille. Face à Satô, un homme se tient debout, en partie replié sur lui-même. Comme Satô l'avait deviné, l'inconnu est vêtu de noir de la tête aux pieds. Il porte même des gants et une cagoule qui lui recouvre toute la tête sauf les yeux. Le poignard qu'il tient lui échappe mollement des mains. Sa vie s'est achevée et il ne tient plus debout que grâce à Nanashi. Le jeune garçon, bien campé sur ses deux pieds, comme Satô le lui a appris, tient en effet le *wakizashi* de son professeur dans sa main gauche, sa bonne main, et il l'a planté profondément dans le dos de l'homme qui les a attaqués. C'est la force de son bras qui empêche le cadavre de s'écrouler.

Jitotsu s'avance dans la pièce, en sautillant sur sa bonne jambe. Le sang de l'assaillant a commencé à couler le long du *wakizashi*, jusque sur la main de Nanashi. Tout doucement, Jitotsu prend le bras de son fils et lui fait retirer la lame du corps déjà mort. Le cadavre s'écroule comme une poupée de chiffon. Jitotsu, dans un geste de tendresse qui ne lui ressemble pas, caresse un instant les cheveux de Nanashi. Ensuite, il regarde Satô, l'air hagard.

— C'était un *ninja*.

Satô se met à trembler. Cela ravive la douleur dans son épaule. Il est blessé. Un *ninja*. Il aurait pu mourir. Un *ninja*. Entraîné pour l'assassinat, comme un samouraï pour la guerre. Un *ninja*. Il avait toujours pensé qu'ils étaient moins fréquents et moins réels que les fantômes !

— Il a dû se tromper de chambre, murmure Jitotsu. Je me suis fait des ennemis au cours des ans et ils savent que je suis affaibli…

La femme de Jitotsu entre à son tour dans la chambre. En voyant le sang sur le kimono de Nanashi, elle pousse un cri étranglé. Puis elle réalise que son fils n'est pas blessé, mais qu'il tient un sabre à la main.

Qu'il le tient rudement bien.

Les parents de Nanashi, oubliant un instant le cadavre qui perd son sang sur les *tatamis* de la petite chambre, tournent leurs regards vers Satô. Quelque chose lui dit qu'il va devoir s'expliquer. Peu importe. Grâce à ses enseignements, Nanashi vient de lui sauver la vie.

33

LORSQUE L'UN DES GARDES vient trouver Yukié pendant l'entraînement pour lui dire que son frère la demande à l'entrée de la demeure du seigneur, elle reste surprise. Pourquoi Ichirô voudrait-il lui parler?

En arrivant au portail, ce n'est pas Ichirô qu'elle découvre, mais plutôt Satô, assis par terre, sous un cerisier, le dos contre le mur qui enclôt le domaine du seigneur. Il est pâle et Yukié voit, par l'échancrure de son kimono, un bandage autour de son bras droit. Ses yeux sont fixés sur le village, en contrebas de la petite colline où se trouve la demeure de Takayama. Cependant, il ne le regarde pas réellement. Il semble ailleurs, perdu en lui-même, dans un lieu qui n'a rien de plaisant.

— Satô?

Il ne lève pas les yeux en entendant la voix de Yukié. Son arrivée ne l'a pas surpris. Il lui fait signe de s'asseoir près de lui et dès qu'elle est à ses côtés, il lui prend la main. C'est étrange. Leur mère disait qu'ils se faisaient beaucoup de câlins lorsqu'ils étaient petits, mais depuis qu'ils ont l'âge de savoir qu'elle est une fille et lui un garçon, ils ne se sont plus touchés, sauf lorsqu'ils se frappaient durant l'entraînement... Une façon comme une autre de se manifester de l'affection.

Yukié serre la main de Satô et attend qu'il parle. Elle est contente qu'il soit là. Avant son arrivée, elle se sentait impatiente, à fleur de peau, prête à se laisser emporter par la colère ou à éclater en sanglots. Elle a peu dormi cette nuit. Elle essayait de réfléchir, de choisir entre ses devoirs. Qui doit-elle appuyer ? Sa famille ou son seigneur ? À présent que Satô est là, elle n'a plus de doute. Elle ne peut pas dénoncer sa famille et voir mourir son petit frère. Ils ont grandi ensemble, ils ont tant partagé... Elle le sent trembler un peu, tout contre elle. Pourquoi est-il venu ?

— On m'a attaqué cette nuit, Yukié. Un *ninja*.

Elle sursaute.

— Un *ninja* ? Tu en es sûr ?

— Il était exactement comme dans les histoires que Grand-mère nous racontait pour nous faire peur. Tout habillé de noir, avec un masque... Et silencieux comme un chat.

Elle essaie de réprimer son incrédulité. Satô raconte souvent des histoires, mais il n'a pas inventé sa blessure et sa pâleur n'est pas due uniquement à une mauvaise nuit. Un *ninja*... Qui donc aurait demandé à l'un de ces tueurs à gages de s'en prendre à Satô ? Qui a les contacts pour les trouver et l'argent pour les engager ? Après tout, pour la majorité des gens, les *ninjas* ne sont que des légendes...

— Jitotsu pense que c'est lui qui était visé et que le *ninja* se serait trompé de chambre… dit Satô comme s'il se parlait à lui-même. Il faut dire qu'il y a au moins un homme du village qui aurait une très bonne raison de vouloir la mort de Jitotsu. Il a une maîtresse, tu sais.

Yukié réfléchit. Non, cette explication ne tient pas debout. Un samouraï n'envoie pas un *ninja* contre un homme qui a séduit sa femme. Il le provoque en duel et lui coupe la tête devant tout le monde, pour laver son honneur. Les *ninjas* sont des armes politiques, des instruments subtils, comme les poignards que les femmes cachent dans leurs manches… À cette idée de couteau dissimulé, les derniers mots de Misaki, prononcés la veille, lui reviennent. « Toi, au moins, tu as encore une utilité pour nous ».

Satô a toujours été le deuxième fils de la famille, le petit frère, né d'une concubine. Celui qui se révélerait utile seulement si Ichirô mourait sans héritier. À présent que le ventre de Kiku porte peut-être le fils d'Ichirô, Satô perd sa raison d'être. Pire, il pourrait devenir le rival de l'enfant. Il pourrait être logique que leur frère aîné cherche à l'éliminer. Sauf qu'il est trop tôt. L'enfant n'est pas encore né. Il doit y avoir une autre raison…

Imitant le ton absent de Satô, Yukié se confie à son tour.

— Non, je ne savais pas… Et toi, savais-tu que Misaki compte rencontrer le seigneur afin de discuter de mon mariage avec le seigneur de Gokoro ?

— Ton mariage ?

Malgré son état, Satô oscille entre l'étonnement le plus total et le fou rire. Serait-il resté dans l'ignorance des plans de leurs aînés ?

— Elle ne t'en avait pas parlé ?

Il a l'air mal à l'aise.

— Yukié, après ton départ, l'autre soir, je ne suis pas resté longtemps chez Ichirô. Je ne suis plus certain moi non plus que l'œuvre de Père mérite d'être poursuivie. Je crois que tu as raison. Takayama est un bon seigneur.

Elle serre très fort la main de Satô. Elle comprend pourquoi il a été visé par un *ninja*. En refusant d'aider Ichirô et Misaki, il a perdu toute valeur à leurs yeux. De plus, sa langue bien pendue les a effrayés. Ils ont décidé de se débarrasser de lui, comme s'il était un sabre tordu ou une flèche déplumée. Ils parlent de devoir familial, mais ils étaient prêts à tuer leur frère. Son frère. Qui ne se doute de rien. Ou alors…

— Oui, le seigneur Takayama est le meilleur maître que nous puissions espérer… Mais dis-moi, pourquoi es-tu venu me parler de ce *ninja*, Satô?

Il hausse les épaules et se lève sans lâcher sa main, qu'il tire ensuite pour aider Yukié à se remettre à son tour sur ses pieds.

— Je ne sais pas. J'avais besoin de te voir. De savoir que tu allais bien.

Yukié lui sourit.

— Je vais bien, ne t'en fais pas.

— Et cette histoire de mariage?

— Ne penses-tu pas qu'il est un peu tôt pour m'en soucier?

Il se met à rire.

— Oui, surtout que je ne crois pas que ton futur époux sache qu'on lui propose la femme qui a égorgé l'un des messagers de son père…

Elle lui tire la langue, ce qui le fait rire encore plus fort. Il la quitte peu après, pour aller observer l'entraînement des samouraïs du village.

Dès qu'il est hors de vue, elle rentre en hâte dans la demeure et se lance à la recherche de Saburo. Elle trouve aisément le vieux tigre, sur l'une des galeries de la cour intérieure où quelques gardes sont toujours en train de s'exercer. Elle s'agenouille brusquement à côté de lui et lui murmure sa question, sans même prendre le temps de le saluer.

— Saburo, qui, des samouraïs du village, pourrait avoir accès à des *ninjas* ?

Il fronce ses sourcils blancs en entendant la question, mais l'urgence du ton de Yukié l'incite à lui répondre.

— C'est Shûgatsu qui s'est toujours occupé de ces questions pour le seigneur, Yukié.

L'époux de Misaki. Elle a pu apprendre comment procéder grâce à lui, à son insu. Yukié salue Saburo et s'éloigne. Misaki a-t-elle vraiment voulu tuer Satô ?

Perdue dans ses pensées, Yukié se heurte à un garde qui arrivait en sens inverse sur la galerie. Embarrassée, elle n'ose pas lever la tête et s'excuse précipitamment, tout en essayant de contourner l'homme bousculé. C'est alors que celui-ci la saisit, par l'épaule et non par la manche comme la politesse l'exigerait.

Elle lève la tête, choquée qu'on se permette de la toucher.

C'est Yamaki.

Elle sent sa colère s'envoler. Cela la laisse démunie, secouée par les révélations de Satô et de Saburo. Il lui vient l'envie, folle, de se précipiter à nouveau contre le corps de Yamaki, de se coller contre lui, en espérant qu'il la serrera dans ses bras et l'écoutera lui raconter les machinations de Misaki, sa loyauté écartelée entre ses différents devoirs…

— Yamaki… dit-elle d'une voix qui menace de se dissoudre en sanglots.

Au moment où elle veut faire un pas vers lui, la main du guerrier se resserre durement sur son épaule.

— Ce n'est plus le moment d'essayer de me parler, Yukié. Il y a des choses que j'aurais voulu dire à la fille que je connaissais… mais elles ne signifient rien pour la future épouse d'un seigneur.

Les paroles de Yamaki sont si éloignées des réflexions présentes de Yukié qu'elles lui semblent issues d'un rêve. Pourtant, à voir l'expression grave de son ami, elle se doute qu'elles sont d'une importance capitale. Elle fronce les sourcils.

— Pourquoi mentionnes-tu ce mariage ridicule, Yamaki ?

Yamaki ne lâche pas l'épaule de Yukié, mais ses doigts cessent leur pression désagréable. Sa paume est chaude à travers le tissu du kimono.

— Tu n'as pas dit au seigneur que tu le trouvais ridicule, remarque-t-il d'un ton radouci.

Ses yeux ont retrouvé leur pli heureux. Il sourit presque.

— Non, je… Je vais le faire, Yamaki, mais tout cela est compliqué. C'est une idée de Misaki, tu vois, et…

Elle bafouille. Elle ne sait plus par quel bout prendre le problème pour l'expliquer à Yamaki. Si elle allait supplier le seigneur de refuser ce mariage, cela pourrait lui éviter de se retrouver seul avec Misaki et elle lui sauverait la vie. Cependant, elle n'est pas sûre qu'il l'écouterait. Takayama avait semblé apprécier l'idée de ce mariage. De plus, repousser l'offre de Misaki n'éliminerait pas la menace à long terme contre le seigneur et Satô, lui, serait toujours en danger. D'un autre côté, si elle acceptait le mariage, elle pourrait peut-être convaincre Misaki d'épargner Satô. Elle pourrait même l'amener avec elle dans le clan Gokoro et leur famille deviendrait puissante…

Yamaki, qui ne sait rien du dilemme de Yukié, mais qui souhaite visiblement l'aider, l'interrompt dans ses réflexions.

— Yukié, si tu acceptes, je peux aller parler au seigneur pour toi.

Son offre la surprend.

— Et que lui diras-tu pour le faire changer d'idée ? C'est le devoir des filles de se marier. Pourquoi prêterait-il l'oreille à mes demandes ? Ou aux tiennes ?

La main de Yamaki quitte lentement l'épaule de Yukié. Le bout des doigts du guerrier vient lui caresser la joue. Elle se sent étourdie. Tout à l'heure, elle aurait voulu qu'il la serre contre lui, même si ce n'est pas le genre de choses que deux adultes font en public. À présent, son petit geste suffit à la troubler. Elle ne sait pas si elle veut qu'il s'arrête à l'instant ou jamais.

— Takayama m'écoutera, lui souffle Yamaki, parce que c'est moi qui ai tué Gokoro. Je mérite une récompense.

Il la regarde intensément. Elle ne peut pas s'empêcher de lui sourire, malgré la main contre sa joue, sa gêne, Misaki et ses devoirs de samouraï.

— Je vais demander à Takayama la permission de t'épouser, Yukié.

— Non !

Elle est tellement insultée qu'elle crie presque sa réponse. Yamaki recule d'un pas. Furieuse, elle lui jette ses paroles à la figure comme s'il s'agissait de cailloux.

— Je suis une guerrière, pas une épouse, Yamaki !

— Tu protestes moins fort quand on essaie de te marier à un seigneur, par contre ! rétorque Yamaki.

— Je n'ai pas eu le temps de protester ! Vous me traitez tous comme un kimono précieux, qu'on s'échange et qu'on s'offre en cadeau ! Tu crois que je suis une récompense, Yamaki ? Un trophée un peu plus joli qu'une tête coupée ?

— Pas plus joli, non.

Yukié a l'impression d'avoir reçu un seau d'eau glacée sur la tête. Pas plus jolie qu'une tête coupée. Même Misaki ne l'avait jamais fait se sentir aussi laide. Elle ne sait plus quoi répondre. Elle remarque enfin que Yamaki a l'air furieux, lui aussi. Elle l'a insulté en refusant sa demande en mariage. Mais, comment a-t-il pu croire qu'elle voulait se marier ? Elle ne veut pas faire la cuisine, avoir des enfants et s'occuper d'une maison. Elle veut se battre ! Elle croyait qu'il la comprenait.

Il lui tourne le dos et s'éloigne. Du coin de l'œil, elle voit que quelques gardes les observent. Elle n'ose pas courir derrière lui. Qu'est-ce qu'elle pourrait lui dire, de toute façon ?

Elle s'éloigne dans la direction opposée à celle qu'il a prise. Elle veut être seule. Quittant les galeries couvertes, elle se retrouve dans la cour aux cerisiers. Les arbres portent des fruits à présent, mais l'endroit est désert et paisible. Elle s'assoit sur une pierre. Elle sent des larmes couler sur ses joues. Elle n'essaie pas de les essuyer. Pleurer lui fait du bien. Elle a l'impression que son cœur et sa tête sont épuisés, las de garder des secrets et de dissimuler des émotions.

Si elle était obligée de se marier, elle préférerait épouser Yamaki plutôt que n'importe qui d'autre. Est-ce qu'elle aurait dû le lui dire ? Est-ce que cela l'aurait empêché de se fâcher contre elle ? Finira-t-il par lui pardonner ? Que va-t-elle faire au sujet de Misaki, du seigneur et de Satô ? Quelqu'un va mourir dans les prochains jours. Est-ce qu'elle va laisser Misaki décider qui sera tué ? Est-ce qu'elle va la dénoncer ?

Yukié entend une cloison coulisser dans son dos. Elle sait, sans avoir besoin de se retourner, qu'il s'agit de celle qui donne sur la salle au faucon. Après un long silence, elle entend finalement la voix du seigneur Takayama.

— Tu sembles troublée, Yukié. Aurais-tu quelque chose à me confier ?

34

NANASHI SE DÉBROUILLE BIEN, surtout pour un garçon qui a commencé si tard à manier le sabre. Appuyé sur ses béquilles, Jitotsu le couve d'un regard fier. Dans tout le pré, le jeune infirme est le sujet de conversation, entre deux duels amicaux. Personne ne s'attendait à ce que le fils de Jitotsu puisse un jour tenir son rang en tant que samouraï. Cependant, l'histoire du *ninja* tué il y a deux jours a frappé leur imagination. Ils sont désormais prêts à lui pardonner ses imperfections.

— Tu es vraiment un fils des Hanaken, déclare Jitotsu en voyant Nanashi parer sans hésitation le coup de sabre d'un garçon plus costaud que lui. Ton père serait fier de voir ce que tu as accompli. Tu fais honneur à son nom.

Satô savoure ces paroles comme s'il s'agissait de gâteaux de riz sucré. Il s'apprête à expliquer à Jitotsu que Nanashi semble meilleur qu'il ne l'est en réalité parce que ses adversaires sont déroutés par le fait qu'il est gaucher. À cet instant, l'un des samouraïs pousse un cri de victoire. Satô sursaute en l'entendant et son sabre de bois, qu'il tenait négligemment, lui échappe des mains.

Il s'agenouille pour le ramasser et relève ensuite la tête.

En contrebas, sur la grande place, le seigneur Takayama s'avance, à cheval. Ichirô et Misaki marchent à sa suite, l'air digne, mais entourés de garde aux épées dégainées. Le frère de Satô est désarmé. Des appels retentissent. Satô ressent une pénible sensation de déjà-vu. L'endroit est le même. Le soleil est au même endroit dans le ciel. Autour de lui, les hommes mettent fin à leurs duels et se dirigent vers la place. Les femmes sortent des habitations. Des sabres sont distribués. Kiku arrive en pleurant et en hurlant. Des femmes l'entourent, caressent son ventre gonflé, la poussent gentiment vers l'une des maisons. Elle n'a pas à assister à ce qui va suivre. Elle n'a rien à voir avec tout cela. Shûgatsu se tient à l'écart, blême, debout à côté de son cheval. Le cheval de Père.

Satô avance vers la place lui aussi, à nouveau un peu en retard sur les autres. Nanashi et Jitotsu sont restés en arrière. Satô aperçoit Kurotani du coin de l'œil. Il tremble. Il craint pour sa vie. Pourtant, il devrait savoir qu'Ichirô ne parlera pas de ses complices. Il veut bien trop imiter leur père.

Satô arrive au bord de la place au moment où, du haut de son cheval, le seigneur s'adresse à ses aînés.

— Hanaken Ichirô et Hanaken Misaki, je vous avais crus innocents des fautes de votre père. Cependant, depuis sa mort, vous avez conspiré et tenté de ranimer un brasier de révolte que je croyais éteint. Vous avez prouvé que vous étiez des sujets dangereux, traîtres, comploteurs et meurtriers. Je vous ordonne donc de vous faire *seppuku* sur-le-champ !

Tandis qu'Ichirô et Misaki s'agenouillent sur le sol de la place, Yukié sort des rangs des gardes et vient se placer aux côtés de Satô. À sa vue, il ne sait plus quoi penser. Il la déteste : c'est elle qui les a dénoncés, il en est sûr. Il l'aime : c'est sa petite sœur. Il est soulagé. Il était temps que quelqu'un les arrête. En fait, Satô n'a qu'une question à poser.

— Pourquoi maintenant, Yukié ?

Elle se recroqueville, comme si elle s'attendait à ce qu'il l'attaque.

— Qui d'autre aurait envoyé un *ninja* pour te tuer, Satô ? souffle-t-elle. Les assassins ne confondent pas un adulte en béquilles et un jeune homme, même dans l'obscurité.

Sur la place, on remet un poignard à Misaki et son *wakizashi* à Ichirô. Un garde prend place derrière Ichirô pour lui servir de second. Satô n'avait jamais remarqué auparavant que ses aînés ressemblaient autant à ses parents. Ils accomplissent le rituel comme leur mère et leur père l'ont fait il y a moins d'un an. Ils arrangent leurs vêtements, s'inclinent l'un vers l'autre. Satô a l'impression de voir des fleurs de cerisier s'agiter dans la brise. Ils sont magnifiques, mais il sait que, bientôt, ils seront emportés par la mort qui souffle sur eux.

Les lames brillent. Le sang jaillit. Les corps s'écroulent.

Le garde qui a coupé la tête d'Ichirô essuie ses sabres, puis vient les porter à Satô. Il est l'héritier des Hanaken à présent. C'est lui qui devra prendre soin de

Kiku et de son enfant afin qu'ils ne manquent de rien. Lui qui devra trouver un mari à Yukié… si un jour elle en désire un. C'est également lui qui devra décider s'il veut venger la mort de son père, d'Ichirô, de Misaki. Va-t-il comploter à son tour contre son seigneur?

Satô entend les sabots d'un cheval qui s'approche. Il lève la tête. Le seigneur Takayama le regarde depuis sa selle.

— On m'a dit que tu savais transformer un infirme en samouraï, Hanaken Satô, lance-t-il.

Malgré la gravité du moment, Satô n'arrive pas à répondre sérieusement.

— C'était facile, mon seigneur, il ne lui manquait qu'une demi-main!

— Demain matin, j'espère te voir à l'entraînement des gardes. Tu es bien jeune pour un maître d'armes, mais je crois que le vieux Saburo pourra t'enseigner ce qu'il te reste à apprendre.

Le seigneur fait un geste. Shûgatsu, qui semble à la fois furieux et apeuré, vient remettre à Satô les rênes de son cheval. L'animal s'agite un peu. Satô entend la voix douce de Yukié murmurer à la bête des paroles de réconfort. Elle a toujours su calmer les chevaux. Satô regarde sa sœur caresser l'encolure du cheval, tandis que le seigneur s'éloigne. Il ne peut lui en vouloir. Elle a agi comme elle le devait. Tout est en train de rentrer dans l'ordre pour les Hanaken. Yukié sera une guerrière, Satô sera le maître d'armes et ils serviront le seigneur Takayama.

Leur famille est une plante qui fleurit autour d'un sabre, pas dans un bain de sang.

LEXIQUE

DAIMYÔ
Seigneur de haut rang et de grand pouvoir.

FIEF
Domaine donné à un samouraï ou à un petit seigneur par un seigneur plus important.

HAKAMA
Sorte de jupe-pantalon plissée, aux côtés ouverts de la mi-cuisse à la taille, portée par les samouraïs et certains prêtres. Il était enfilé par-dessus un kimono court (ou un kimono long qu'on repliait au niveau de la taille), lorsqu'on voulait une certaine liberté de mouvement (par exemple quand on devait monter à cheval ou se battre). Le kimono étant croisé devant, on ne pouvait pas décemment écarter les jambes lorsqu'on le portait.

KAMI
Kami veut dire à la fois dieu ou esprit. Ce sont les divinités les plus anciennes du Japon. Certains sont plus importants que d'autres, car il y a un kami de la lune et un kami du soleil, mais également un kami pour chaque lac, pour chaque champ, etc. Les gens honorent les kamis qui ont une influence sur leur vie (par exemple celui du soleil et celui de la rivière la plus proche, de laquelle provient l'eau qu'ils boivent). De nos jours, le culte des kamis (le shinto) est moins important, mais il occupe encore une place dans les fêtes traditionnelles et les grandes occasions, comme les mariages. En plus d'honorer

les kamis associés à la nature, les Japonais pratiquent la religion bouddhiste, c'est-à-dire qu'ils prient le Bouddha, une divinité venue d'Inde et de Chine.

KATANA

Épée longue de 60 centimètres et plus, à un seul tranchant, comme les sabres européens, dont la lame est étroite et légèrement courbe. L'acier des katanas est très solide et très tranchant, car le métal est replié sur lui-même au lieu d'être simplement martelé. Objet de luxe dont on prenait le plus grand soin, seuls les samouraïs avaient le droit de porter le katana.

KIMONO

Vêtement japonais porté par les deux sexes. Sorte de robe croisée devant et retenue par une ceinture, semblable à nos robes de chambre. Quoiqu'assez semblables à la base, les kimonos existent dans plusieurs styles légèrement différents. Par exemple, les paysans portaient des kimonos plus courts (qui arrivaient sous les genoux) en chanvre ou en coton. Les kimonos des femmes avaient des manches très larges, qui ressemblaient à des poches. Les hommes et femmes riches revêtaient des kimonos de soie plutôt que de coton.

NAGINATA

Lance munie à son extrémité d'une lame à un seul tranchant, semblable à celle d'un katana ou d'un wakizashi. Elle était très utilisée contre les cavaliers.

NINJA

Hommes issus de la classe paysanne qui s'entraînaient afin de devenir des espions et des assassins. Certains travaillaient pour un seigneur en particulier, mais la plupart louaient tout simplement leurs services au plus offrant. Ils vivaient dans des villages reculés et, la plupart du temps, se faisaient passer pour des paysans afin d'assurer leur sécurité. Les paysans normaux avaient très peur des ninjas, car ils croyaient que ceux-ci avaient des pouvoirs extraordinaires leur permettant de tuer les redoutables samouraïs.

RANG
Importance et noblesse d'une famille, déterminées en partie par sa richesse, mais également par sa réputation, l'ancienneté de son nom et la renommée de ses ancêtres.

SAKÉ
Alcool de riz.

SAMOURAÏ
Membre de la caste des guerriers, un samouraï n'est ni un homme qui a choisi le métier de soldat, ni un chevalier européen nommé par un seigneur. Garçons ou filles naissent samouraïs et leur seul devoir pendant toute leur vie est de contribuer à protéger le seigneur et leur propre famille. Ce devoir est rempli en apprenant à se battre ou en se rendant utile d'une autre manière.

À l'époque où se déroule notre histoire, il existait deux sortes de samouraïs, qu'on différenciait par le nombre de sabres qu'ils portaient. Les samouraïs de haut rang, dont les familles étaient les plus puissantes, portaient deux sabres (le katana et le wakizashi). Les samouraïs de moindre importance ne portaient qu'un seul sabre, le katana. Avec le temps, seuls les samouraïs portant deux sabres seront considérés comme de vrais samouraïs.

SEPPUKU

Suicide rituel (et fort douloureux) que les samouraïs s'infligeaient pour de multiples raisons, toujours reliées à l'honneur. Ils considéraient effectivement que la honte, la trahison et le déshonneur ne pouvaient être rachetés que par la mort. Il arrivait même que des samouraïs se suicident pour manifester leur mécontentement contre leur seigneur. Comme ils ne pouvaient pas démissionner, ils quittaient ce mauvais seigneur en mourant. Les femmes samouraïs, surtout celles qui étaient trop âgées pour se remarier, se suicidaient fréquemment pour suivre leur époux dans la mort.

SHÔGUN

Officiellement, chef militaire du pays nommé par l'Empereur. En pratique, il détenait tous les pouvoirs et agissait en maître absolu.

TATAMI

Matelas mince, dur, mais élastique, en paille de riz, utilisé encore de nos jours dans les salles de judo. Dans le Japon ancien, les tatamis recouvraient les planchers des pièces importantes. On pouvait s'y asseoir confortablement et même s'y étendre pour dormir.

WAKIZASHI

Deuxième sabre, porté par les samouraïs appartenant à des familles de haut rang. Il est identique au katana, mais mesure habituellement environ 30 à 60 centimètres.

Dans la même collection

Entités 1 : Le jour de l'éveil
Texte: Mathieu Fortin - Illustrations: Olivier Carpentier

Depuis des temps immémoriaux, les Entités tentent de voler les corps des humains pour reprendre le contrôle de la Terre. Seuls quelques valeureux membres d'une Confrérie secrète, les Talentés, mènent le combat pour les en empêcher. Cependant, ils sont de moins en moins nombreux et le triomphe des Entités est imminent. Jusqu'à l'arrivée de trois adolescents qui, avant aujourd'hui, ignoraient tout de cette histoire. En ce jour de l'éveil, les destins de Corinne, Victoria et Casimir seront étroitement liés à la survie de l'humanité.

Sélection Communication-Jeunesse 2010-2011
«Véritable condensé d'action à l'état pur... Journal de Montréal»

Entités 2 : Trahisons
Texte: Mathieu Fortin - Illustrations: Olivier Carpentier

Casimir, Victoria et Corinne sont maintenant sains et saufs au sein de la maison de la Confrérie. Pourtant, ils ne sont pas au bout de leurs peines : les esprits s'excitent dans l'Outremonde et les trois adolescents se trouvent mêlés à des jeux de pouvoir qu'ils ne comprennent pas. Qui sont ceux qui s'appellent les Primordiaux? Comment peuvent-ils contrôler la matière même dont est fait l'Outremonde? Les précognitifs sont sur les dents : les visions du futur n'augurent rien de bon. Les différentes composantes de la Confrérie sont en alerte. Corinne, Casimir et Victoria se retrouvent au milieu de la tourmente, face au danger et à des ennemis totalement inattendus. Pourraient-ils eux-mêmes échouer dans le mauvais camp?

Les Contes de la Chatte Rouge
Texte: Élisabeth Vonarburg - Illustrations: Marie-Claude Roch

Lila, petite fille du Pays-d'En-Bas, habite un beau château. Sa mère a été enlevée par la Chatte Rouge, qui a emporté aussi toutes les histoires. Lila part à la recherche de cette mystérieuse mère. Des créatures fabuleuses l'aideront dans cette quête pleine d'embûches et de surprises.

Finaliste au Prix St-Exupéry Valeurs Jeunesses (France -1995)